U0505948

文 景

———————

Horizon

社 科 新 知　文 艺 新 潮

沉默的经典

月光的合金

露易丝·格丽克诗集

[美] 露易丝·格丽克 著 柳向阳 译

上海人民出版社

目录

草场

新生

七个时期

代译序：露易丝·格丽克的疼痛之诗

最初读到格丽克，是震惊！仅仅两行，已经让我震惊——震惊于她的疼痛：

> 我要告诉你件事情：每天
> 人都在死亡。而这只是个开头。

露易丝·格丽克的诗像锥子扎人。扎在心上。她的诗作大多是关于死、生、爱、性，而死亡居于核心。经常像是宣言或论断，不容置疑。在第一本诗集中，她即宣告："出生，而非死亡，才是难以承受的损失。"（《棉口蛇之国》）

从第一本诗集开始，死亡反复出现，到1990年第五本诗集《阿勒山》，则几乎是一本死亡之书。第六本

1

诗集《野鸢尾》转向抽象和存在意义上的有死性问题。此后的诗集，死亡相对减少，但仍然不绝如缕。与死亡相伴的，是对死亡的恐惧。当人们战胜死亡、远离了死亡的现实威胁，就真能摆脱对死亡的恐惧、获得安全和幸福吗？格丽克的诗歌给了否定的回答。在《对死亡的恐惧》（诗集《新生》）一诗里，诗人写幼年时的一个噩梦，"当那个梦结束／恐惧依旧。"在《爱之诗》里，妈妈虽然一次次结婚，但一直含辛茹苦地把儿子带在身边，给儿子"织出各种色调的红围巾"，希望儿子有一个温暖、幸福的童年。但结果呢？诗中不露面的"我"对那个已经长大的儿子说："并不奇怪你是现在这个样子，／害怕血，你的女人们／像一面又一面砖墙。"或许只有深谙心理分析的诗人才会写出这样的诗作。

《黑暗中的格莱特》是又一个例子。在这首类似格莱特独白的诗作中，格丽克对格林童话《汉赛尔与格莱特》皆大欢喜的结局深表怀疑：虽然他们过上了渴望的生活，但所有的威胁仍不绝如缕，可怜的格莱特始终无法摆脱被抛弃的感觉和精神上的恐惧——心理创伤。甚至她的哥哥也无法理解她、安慰她。而这则童话中一次次对饥饿的指涉，也让我们想到格丽克青春时期为之深受折磨的厌食症。

终于，在《花园》这个组诗里，她给出了"对出生的恐惧"、"对爱的恐惧"、"对埋葬的恐惧"，俨然是一而三、三而一。由此而言，逃避出生、逃避爱情也就变得自然而然了。如《圣母怜子像》一诗中，格丽克对这一传统题材进行了改写，猜测基督："他想待在 / 她的身体里，远离 / 这个世界 / 和它的哭声，它的 / 喧嚣。"又如《写给妈妈》："当我们一起 / 在一个身体里，还好些。"

格丽克诗中少有幸福的爱情，更多时候是对爱与性的犹疑、排斥，如《夏天》："但我们还是有些迷失，你不觉得吗？"她在《伊萨卡》中写道："心爱的人 / 不需要活着。心爱的人 / 活在头脑里。"而关于爱情的早期宣言之作《美术馆》写爱的显现，带来的却是爱的泯灭："她再不可能纯洁地触摸他的胳膊。/ 他们必须放弃这些……"格丽克在一次访谈中谈到了这首诗："强烈的身体需要否定了他们全部的历史，使他们变成了普通人，使他们沦入窠臼……在我看来，这首诗写的是他们面对那种强迫性需要而无能为力，那种需要嘲弄了他们整个的过去。"这首诗强调的是"我们如何被奴役"。[1] 这种理解或许有些旁枝逸出，但在

[1] Ann Douglas. "Descending Figure: An Interview with Louise Glück", *Columbia Magazine* (1980), 122.

格丽克诗歌中远非个案，显示格丽克似乎是天赋异禀。

一直到《阿基里斯的胜利》一诗，格丽克给出了爱与死的关系式。这首诗写阿基里斯陷于悲痛之中，而神祇们明白："他已经是个死人，牺牲 / 因为会爱的那部分，/ 会死的那部分"，换句话说，有爱才有死。在《对死亡的恐惧》（诗集《新生》）中再次将爱与死进行等换："每个恐惧爱的人都恐惧死亡。"这其实是格丽克关于爱与死的表达式："爱 => 死"，它与《圣经·创世记》所表达的"获得知识 => 遭遇有死性"、扎米亚金所说的 "$\pi = f(c)$，即爱情是死亡的函数" 有异曲同工之妙。

按《哥伦比亚美国诗歌史》里的说法，"从《下降的形象》（1980）组诗开始，格丽克开始将自传性材料写入她凄凉的口语抒情诗里"[1]。这里所谓的自传性材料，大多是她经历的家庭生活，如童年生活，姐妹关系，与父母的关系，亲戚关系，失去亲人的悲痛。她曾在《自传》一诗（《七个时期》）中写道："我有一套爱的哲学，宗教的 / 哲学，都是基于 / 早年在家里的经验。"后期诗歌中则有所扩展，包括青春、性爱、婚恋、友谊……逐渐变得抽象，作为碎片，作为元素，

---

[1] Gregory Orr. "The Postconfessional Lyric", *The Columbia History of American Poetry*. Ed. Jay Parini, 663.

作为体验，在诗作中存在。这一特点在诗集《新生》《七个时期》《阿弗尔诺》中非常明显。更多时候，自传性内容与她的生、死、爱、性主题结合在一起，诗集《阿勒山》堪称典型。同时，抒情性也明显增强，有些诗作趋于纯粹、开阔，甚至有些玄学的意味。罗伯特·海斯（Robert Hass）曾称誉格丽克是"当今写作者中，最纯粹、最有成就的抒情诗人之一"[1]，可谓名至实归。

因此，格丽克诗歌的一个重要特点就在于她将个人体验转化为诗歌艺术，换句话说，她的诗歌极具私人性，却又备受公众喜爱。但另一方面，这种私人性绝非传记，这也是格丽克反复强调的。她曾说："把我的诗作当成自传来读，我为此受到无尽的烦扰。我利用我的生活给予我的素材，但让我感兴趣的并不是它们发生在我身上，让我感兴趣的，是它们似乎是……范式。"[2]

实际上，她也一直有意地抹去诗歌作品以外的东西，抹去现实生活中的作者对读者阅读作品时可能的

---

[1] A. Neubauer (ed). *Poetry in Person: Twenty-five Years of Conversation with American Poets.* 49.

[2] Louise Glück. Interview by Grace Cavalieri. *Beltway Poetry Quarterly.* 7.4. (Winter 2006). 10 November 2006. <http://washingtonart.com/beltway/Glückinterview.html>

影响，而且愈来愈决绝。比如，除了1995年早期四本诗集合订出版时她写过一页简短的"作者说明"外，她的诗集都是只有诗作，没有前言、后记之类的文字——就是这个简短的"作者说明"，在我们准备中文版过程中，她也特意提出不要收入。译者曾希望她为中文读者写几句话，也被谢绝了；她说她对这本书的唯一贡献，就是她的诗作。此外，让她的照片、签名出现在这本诗选里，也不是一件容易的事。

格丽克出生于一个敬慕智力成就的家庭。她在随笔《诗人之教育》[1]一文中讲到家庭情况及早年经历。她的祖父是匈牙利犹太人，移民到美国后开杂货铺谋生，但几个女儿都读了大学；唯一的儿子，也就是格丽克的父亲，拒绝上学，想当作家。但后来放弃了写作的梦想，投身商业，相当成功。在她的记忆里，父亲轻松、机智，最拿手的是贞德的故事，"但最后的火刑部分省略了"。少女贞德的英雄形象显然激起了一个女孩的伟大梦想，贞德不幸牺牲的经历也在她幼小心灵里投下了死亡的阴影。她早年有一首《贞德》（《沼泽地上的房屋》）；后来还有一首《圣女贞德》（《七个

---

[1] Louise Glück. *Proofs and Theories: Essays on Poetry*. Hopewell: The Ecco Press, 1994.

时期》），其中写道："我相信我将要死去。我将要死去 / 在十岁，死于儿麻。我看见了我的死亡：/ 这是一个幻象，一个顿悟——/ 这是贞德经历过的，为了挽救法兰西。"格丽克在《诗人之教育》中回忆说："我们姐妹被抚养长大，如果不是为了拯救法国，就是为了重新组织、实现和渴望取得令人荣耀的成就。"

格丽克的母亲尤其尊重创造性天赋，对两个女儿悉心教育，对她们的每一种天赋都加以鼓励，及时赞扬她的写作。格丽克很早就展露了诗歌天赋，并且对诗歌创作野心勃勃。在《诗人之教育》中抄录了一首诗，"大概是五六岁的时候写的"。十几岁的时候，她比较了自己喜欢的画画和写作，最终放弃了画画，而选择了文学创作，并且野心勃勃。她说："从十多岁开始，我就希望成为一个诗人。"格丽克提到她还不到三岁，就已经熟悉希腊神话。纵观格丽克的十一本诗集，她一次次回到希腊神话，隐身于这些神话人物的面具后面，唱着冷冷的歌。

"到青春期中段，我发展出一种症状，完美地亲合于我灵魂的需求。"格丽克多年后她回忆起她的厌食症。她一开始自认为是一种自己能完美地控制、结束的行动，但结果却成了一种自我摧残。十六岁的时候，她认识到自己正走向死亡，于是在高中临近毕业时开始看心理分析师，几个月后离开了学校。以后七年里，心理分析就成了她花时间、花心思做的事情。

格丽克说："心理分析教会我思考。教会我用我的思想倾向去反对我的想法中清晰表达出来的部分，教我使用怀疑去检查我自己的话，发现躲避和删除。它给我一项智力任务，能够将瘫痪——这是自我怀疑的极端形式——转化为洞察力。"而这种能力，在格丽克看来，于诗歌创作大有益处："我相信，我同样是在学习怎样写诗：不是要在写作中有一个自我被投射到意象中去，不是简单地允许意象的生产——不受心灵妨碍的生产，而是要用心灵探索这些意象的共鸣，将浅层的东西与深层分隔开来，选择深层的东西。"（《诗人之教育》）对格丽克来说，心理分析同时促进了她的诗歌写作，二者一起，帮助她最终战胜了心理障碍。

十八岁，格丽克在哥伦比亚大学利奥尼·亚当斯（Leonie Adams）的诗歌班注册学习，后来又跟随老一辈诗人斯坦利·库尼兹（Stanley Kunitz）学习。库尼兹与罗伯特·潘·沃伦同年出生，曾任2000—2001年美国桂冠诗人。按格丽克的说法，"跟随斯坦利·库尼兹学习的许多年"对她产生了长久的影响；她的处女诗集《头生子》即题献给库尼兹。

1968年，《头生子》出版，有评论认为此时的格丽克"是罗伯特·洛威尔和希尔维亚·普拉斯的一个充满焦虑的模仿者"。[1] 但我看到更明显的是 T.S. 艾略特和叶芝的影子。如开卷第一首《芝加哥列车》写一次死气沉沉的旅程，不免过于浓彩重墨了。第二首《鸡蛋》（III）开篇写道："总是在夜里，我感觉到大海 / 刺痛我的生命"，让我们猜测是对叶芝《茵纳斯弗利岛》的摹仿，或者说反写：作为理想生活的海"刺痛"了她的生活。她后来谈到《头生子》的不成熟和意气过重，颇有悔其少作的意味，说她此后花了六年时间写了第二本诗集："从那时起，我才愿意签下自己的名字。"[2]

格丽克虽然出生于犹太家庭，但认同的是英语传统。她阅读的是莎士比亚、布莱克、叶芝、济慈、艾略特……以叶芝的影响为例，除了上面提到的《鸡蛋》（III）之外，第二本诗集有一首《学童》（本书中译为《上学的孩子们》），让人想到叶芝的名诗《在学童中间》；第三本诗集中那首《圣母怜子像》中写道："远离 / 这个世界 / 和它的哭声，它的 / 喧嚣"，而叶芝那首《偷走的孩子》则反复回荡着"这个世界哭声太

[1] Stephen Burt. "Why Louise Gluck's intensely private poetry is just what the public needs", *The Boston Globe*, 9/21/2003.

[2] Louise Glück. Interview by Grace Cavalieri.

多了，你不懂"。相同的是对这个世界的拒绝，不同的是叶芝诗中的孩子随精灵走向荒野和河流，走向仙境，而在格丽克诗中，"他想待在 / 她的身体里"，不想出生——正好呼应了她的那个名句："出生，而非死亡，才是难以承受的损失。"

希腊罗马神话、《圣经》、历史故事等构成了格丽克诗歌创作的一个基本面。如作为标题的"阿勒山"、"花葱"（雅各的梯子）、"亚比煞"、"哀歌"等均出自《圣经》。《圣母怜子像》、《一则寓言》（大卫王）、《冬日早晨》（耶稣基督）、《哀歌》、《一则故事》等诗作取材于《圣经》。在《传奇》一诗中，诗人以在埃及的约瑟来比喻她移民到美国的祖父。最重要的是，圣经题材还成就了她最为奇特、传阅最广的诗集《野鸢尾》（1992）。这部诗集可以看作是以《圣经·创世记》为基础的组诗，主要是一个园丁与神的对话（请求、质疑、答复、指令），关注的是挫折、幻灭、希望、责任。

在此我们应该有个基本的理解：格丽克是一位现代诗人，她借用《圣经》里的相关素材，而非演绎、传达《圣经》。实际上，《野鸢尾》出版后，格丽克曾收到宗教界人士的信件，请她少写关于神的文字。她在诗歌创作中对希腊神话的偏爱和借重，也与此类似。"读诗的艺术的初阶是掌握具体诗篇中从简单到极复杂的用典。"[1] 了解相关的西方文化背景和典故，构成了阅读格丽克诗歌的一个门槛。如诗集《新生》中《燃烧的心》一诗，开头引用但丁《神曲·地狱篇》第五章弗兰齐斯嘉的话，如果熟悉这个背景，那么整个问答就非常有意思了。接下来的一首《罗马研究》，如果不熟悉相应的典故，读起来也是莫名其妙。

希腊罗马神话对格丽克诗歌的重要性无以复加，这在当代诗歌中独树一帜，如早期四本诗集中的阿波罗和达佛涅（《神话片断》）、西西弗斯（《高山》）等。而具有重要意义的，则集中于诗集《阿基里斯的胜利》《草场》《新生》《阿弗尔诺》。如《草场》集中于如奥德修斯、珀涅罗珀、喀尔刻、塞壬等希腊神话中的孤男怨女，写男人的负心、不想回家，写女人的怨恨、百无聊赖……这些诗作经常加入现代社会元素，或是将人物变形为现代社会的普通男女，如塞壬"原来我是个女招待"，从而将神话世界与现代社会融合在一起。《新生》的神话部分主要写埃涅阿斯与狄多、俄耳甫斯与欧律狄克两对恋人的爱与死，《阿弗尔诺》则围绕冥后珀尔塞福涅的神话展开。

写到这里，建议读者有机会温习下《伊利亚特》

[1] 布鲁姆："读诗的艺术"，《读诗的艺术》，王敖译。南京大学出版社，2010。

《奥德赛》《埃涅阿斯纪》《神曲》，以及《希腊罗马神话》和《圣经》。当然不用说这些著作本身就引人入胜，拿起来就舍不得放下，这里只说熟悉了相关细节，读格丽克的诗作会更加兴味盎然，甚至有意想不到的发现。比如我发现海子的《十四行：王冠》前两节是"改写"自阿波罗对达佛涅的倾诉（允诺），而有些论者的解读未免不着边际。当然，于我而言，更多的是考量翻译的准确性。如那首《阿基里斯的胜利》，周瓒兄译为《阿喀琉斯的凯旋》，中文维基百科的"阿喀琉斯"条目引用弗朗茨·马什描绘阿基里斯杀死赫克托耳后用战车拖着他的尸体（对应《伊利亚特》第22卷）的画作，也译作《阿喀琉斯的凯旋》。但恐怕，"凯旋"一词说不上恰当，毕竟，阿基里斯是"凯"而不"旋"的，他的胜利就是他的死亡。

从《阿勒山》开始，格丽克开始把每一本诗集作为一个整体、一首大组诗（book-length sequence）来看待。这个问题对格丽克来说，是一本诗集的生死大事。她曾谈到诗集《草场》，她最初写完了觉得应该写的诗作后，一直觉得缺了什么："不是说你的二十首诗成了十首诗，而是一首都没有！"后来经一位朋友提醒，才发现缺少了忒勒马科斯。格丽克说："我喜欢忒

12

勒马科斯。我爱这个小男孩。他救活了我的书。"[1] 一本诗集怎样组织、包括哪些诗作、每首诗的位置……格丽克都精心织就。再以《阿弗尔诺》为例，尼古拉斯·克里斯托夫在书评中说："诗集中的 18 首诗丰富而和谐：以相互关联的复杂形象、一再出现的角色、重叠的主题，形成了一个统一的集合，其中每一部分都不失于为整体而言说。"[2] 有兴趣的读者不妨细加琢磨，并扩展到另外几本诗集。如此，或能得窥格丽克创作的一大奥秘。

格丽克写作五十年，诗集十一册；有论者说："格丽克的每部作品都是对新手法的探索，因此难以对其全部作品加以概括。"[3] 总体而言，格丽克在诗歌创作上剑走偏锋，抒情的面具和倾向的底板经常更换，同时又富于激情，其诗歌黯淡的外表掩映着一个沉沦世界的诗性之美。语言表达上直接而严肃，少加雕饰，经常用一种神谕的口吻，有时刻薄辛辣，吸人眼球；诗作大多简短易读，但不时有些较长的组诗。近年来语言表达上逐渐向口语转化，有铅华洗尽、水落石出

————————————

[1] Louise Glück. Interview by Grace Cavalieri.

[2] Nicholas Christopher. "Art of Darkness", *The New York Times*, 3/12/2006.

[3] 凯瑟琳·文斯潘克仁：《美国文学纲要》，"IIP 美国参考"网站。

之感，虽然主题上变化不大，但经常流露出关于世界的玄学思考。统观其近五十年来的创作，格丽克始终锐锋如初，其艺术手法及取材一直处于变化之中，而又聚焦于生、死、爱、性、存在等既具体又抽象的方面，保证了其诗作接近伟大诗歌的可能。2012年11月，她的六百多页的《诗1962—2012》出版。但另一方面，格丽克似乎仍处于创作力的高峰，让我们期待着惊喜。

笔者从2006年初开始阅读、翻译格丽克诗歌，转眼就到第十年了。其间大部分自由时间放在了格丽克诗歌上。最初的八卦欲望，关于她的生平，关于她的评论，关于她两任丈夫的情况……需要的资料都查到，八卦欲望满足之后，翻译的压力并不稍减。一名之立，旬月踟蹰。我记得那首《卡斯提尔》，当初读到时，喜欢得无以复加。背。译。"另一首《卡斯提尔》，写春天、爱情、梦想……飘荡着橙子花香，让人沉醉！最初读到时，我奇怪一贯刻薄写诗的格丽克居然也写这样美丽的诗！"我曾这样提到这首诗。我译得很快，但推敲、修改却耗了一个多月，还是心里不踏实。后来在一次朗诵会上听一位朋友朗诵了这首诗，效果之好，让我惊喜。之后还有多次修改，包括得一忘二兄提醒的两处，包括后来的几次修订。说到这首诗，不妨多说一句：后来给纸刊选编格丽克诗作时，我会有意识地加上这首诗，但这首诗至今（2014年12月）居然一次没有刊发过。

早在2007年，译者即同格丽克联系，希望出版她的诗选中文版，但她不愿意出版"诗选"，而是希望《阿弗尔诺》《七个时期》等诗集一本一本完整地翻译出版——那时她的第十一本诗集还没有出版。即使在美国国内，格丽克几十年来也从未出版过一本诗选！2012年面世的《诗1962—2012》没有用"诗全集"这个名称，也是已出版的十一本诗集的合订本。她终于避免了被"诗选"的命运！现在摆在读者面前的，涵盖了她的十一本诗集，其中前五本诗集是选译，后六本诗集是全译。译者根据单行本翻译，后期则根据诗全集校对。几乎全部译诗，都经版权代理转给她过目；她在耶鲁有一位中国学生帮助她。实际上，就连"诗人简介"也是她提供的。译者遇有不确定之处，则向她请教，后来又将她的部分回复译出，作为译注，并标明"作者解释"。

译者在阅读翻译过程中参考了丹尼尔·莫里斯（Daniel Morris）的著作《露易丝·格丽克诗歌：主题研究》（*The Poetry of Louise Glück: A Thematic Introduction*），和琼尼·菲特·迪尔（Joanne Feit Diehl）编的评论

集《论露易丝·格丽克：改变你看到的》（*On Louise Glück: Change What You See*），这也是目前仅有的两本专书；通过谷歌图书和谷歌搜索阅读了更多论及格丽克诗歌的著作和资料。译者从中摘译了部分内容并注明出处，引为相关诗作的注释。同时，鉴于格丽克对文化典籍和典故的倚重，译者查阅资料，制作了部分注释。一本诗集，如《新生》中涉及埃涅阿斯的诗作有多首，译者的注释有多个，各有侧重，相互参照。注释的目的是提供诗歌的文化背景或一种理解思路，而非答案，尤其是要避免泯灭诗作可能的歧义。注释费时费力，更费斟酌，惟恐越出"译者"的界线；也正为此，译者在最后阶段删减了多处注释。望读者诸君明鉴。

此次翻译格丽克诗集，由我与范静哗（得一忘二）兄共同承担：我译前 10 本，范兄译第 11 本。范兄是我所敬慕的兄长，我们的交流始于多年前的"诗生活"网站的"翻译论坛"——这让我怀念起当初一起讨论格丽克诗的朋友们：周琰、AX、虚玳、飞渡、那么南……多年来周琰兄对我帮助尤多。译诗后期校改中，李晖、白木碉、蓝玉等朋友都曾给我帮助。感谢昆鸟兄对格丽克诗歌的青睐，他的才气和他对诗歌的热爱都让我惊讶。感谢格丽克和她的版权代理卢克·英格拉姆（Luke Ingram）的辛劳。格丽克特别提醒感谢她的好友，耶鲁大学教授宋惠慈（Wai Chee Dimock）女士帮助审读译诗。部分译作经李寒、阿翔、刘锋、高兴、以亮、执浩、洗尘、南野、阿波、刘川、秀珊、胡弦、江离、飞廉、谷禾、李浩、公度、之平、莱耳、江雪、阿平、张联、江汀等诸多朋友之手刊发，特致感谢。当然，无需多说，译误之处自应由译者负责，亦望各位朋友回馈指出，不胜感谢。

柳向阳

2012.8.31

又：从 2006 年开始译格丽克，如今马上就进入第十年了……格丽克的第 12 本诗集三个月前已经出版，这是我不曾预料到的。实际上，诗集之外，她至少还有一本诗随笔要结集出版。

2014.12.21

野鸢尾

The Wild Iris，1992

献给

凯瑟琳·戴维斯（kathryn Davis）

麦瑞狄斯·霍平（Meredith Hoppin）

大卫·兰斯顿（David Langston）

献给

约翰（John）和诺亚（Noah）

野鸢尾

在我苦难的尽头
有一扇门。

听我说完：那被你称为死亡的
我还记得。

头顶上，喧闹，松树的枝杈晃动不定。
然后空无。微弱的阳光
在干燥的地面上摇曳。

当知觉
埋在黑暗的泥土里，
幸存也令人恐怖。

那时突然结束了：你所惧怕的，作为
一个灵魂却不能

讲话，突然结束了，僵硬的土地
略微弯曲。那被我认作是鸟儿的，
冲入矮灌木丛。

你，如今不记得
从另一个世界到来的跋涉，
我告诉你我又能讲话了：一切
从遗忘中返回的，返回
去发现一个声音：

从我生命的核心，涌起
巨大的喷泉，湛蓝色
投影在蔚蓝的海水上。

晨祷

阳光照耀；挨着邮筒，那棵分叉的桦树

叶子叠起，打了褶像鱼鳍。

树下，是白水仙"冰翼"、"歌手"空心的茎；深
　　色的

野生紫罗兰的叶子。诺亚说

抑郁症患者痛恨春天，无法平衡

内心与外部世界。我是

另一回事——抑郁，是的，但有几分热烈地

依恋那棵活着的树，我的身体

实际上蜷曲在裂开的树干里，几乎平静，在黄昏
　　的雨中

几乎能感到

汁液起泡，上升：诺亚说这是

抑郁症患者的一个错误：混同于

一棵树，而那颗快乐的心

游荡园中像一片飘落的树叶，一个

代表部分，而非整体的形象。

晨祷

不可抵达的父啊，想当初

我们被逐出天堂时，你制造了

一个复制品，在一种意义上

是与天堂不同的地方：为了

给予教训而制造；其他

都相同——两面都美，美

没有不同——只除了

我们不知道那教训是什么。被独自留下，

我们让彼此精疲力竭。随后是

黑暗的年月；我们轮流

在花园里劳动，最初的泪水

涨满我们的眼睛，当大地

似雾蒙花，某种

暗红，某种肉体的颜色——

我们从没有想到你

虽然我们正学着敬拜你。

我们仅仅知道那不是人类的本性：只爱

以爱相报者。

延龄草

当我醒来，我在森林里。黑暗
似乎自然而然，天空透过那些松树
光线密布。

我一无所知；我能做的只是看。
当我细看，天堂里所有的光
暗淡成仅有一物，一堆火
正烧穿冷冷的杉林。
那时，再也不可能
凝望天堂而不被摧毁。

有灵魂需要
死亡的到场吗，就像我需要保护？
我想如果我讲得足够久
我将回答那个问题，我将看到
无论他们看到的什么，一架梯子

穿过杉林伸过来，无论什么
呼唤他们去交换生命——

想想我已经理解的那些。
那时我在森林里醒来，一无所知；
只是片刻之前，我还不知道自己的嗓音
（如果有一个嗓音被给予了我）
将如此充满悲伤，我的句子
像串在一起的哭喊声。
我甚至不知道我感到了悲伤
直到那个词到来，直到我感觉
雨水从我身上流下。

野芝麻

当你有了一颗冷酷的心，你就这样生活。
像我：在树荫里，在凉爽的石上蔓延，
在那些大枫树下。

太阳几乎触不到我。
早春，有时我看到它，正在非常遥远的地方升起。
那时树叶在它上方生长，整个地遮住它。我感到它
透过树叶闪闪烁烁，飘忽不定，
像某个人用金属汤匙敲打着一只玻璃杯的侧面。

生命之物并非同等地
需要光。我们中有些人
制造我们自己的光：一片银箔
像无人能走的小径，一片浅浅的
银的湖泊，在那些大枫树下的黑暗里。

但你已经知道这些。

你和其他那些人，他们认为

你为真实活着，甚至还爱着

一切冰冷之物。

雪花莲

你可知道我是谁，怎么活着？你知道
什么是绝望；那么
冬天对你应该有意义。

我并不期望存活，
大地压制我。我不期望
再次醒来，感觉
我的身体在潮湿的泥土里
能够再次回应，记起
这么久以后如何再次盛开
在初春时节
寒冷的光里——

害怕，是的，但又一次在你们中间
哭喊着是的冒快乐之险

在新世界的狂风里。

晴朗的早晨

我观察你已经够久了，
我可以随心所欲地跟你讲话——

我已经接受了你的偏好，耐心地观察
你喜爱的事物，说话

只通过工具，用
泥土的细节，如你所好，

蓝色铁线莲的
卷须，傍晚时的

亮光——
你永远不会接受

像我这种腔调，漠不关心

你正忙于命名的事物，

你的嘴
惊恐的小圆圈——

而这次我一直
容忍你的弱点，想着

你迟早会自己把它丢在一边，
想着物质不可能永远吸引你的凝视——

铁线莲的栅栏正在门廊的窗上
绘着蓝色的花朵——

我无法继续
将自己局限于图像

因为你认为质疑我的意思
是你的权利：

如今我已准备好
将清晰强加于你。

春雪

望着夜空：
我有两个自我，两种力量。

我在这儿和你一起，在窗边，
注视着你的反应。昨天
月亮升起在潮湿的大地之上，低低的花园里。
此刻，大地像月亮一样闪耀，
像光亮裹着的死物。

此刻你可以闭上眼睛。
我已经听到你的叫喊，以及在你之前的叫喊，
和它们背后的需要。
我已经给你看了你想要的：
不是信仰，而是屈从，
屈从于依靠暴力的权威。

冬天结束

寂静世界之上，一只鸟的鸣叫
唤醒了黑枝条间的荒凉。

你想要出生，我让你出生。
什么时候我的悲伤妨碍了
你的快乐？

急急向前
进入黑暗和光亮，同时
急于感知

仿佛你是某种新事物，想要
表达你自己

所有的光彩，所有的活泼

从来不想

这将让你付出什么，

从来不设想我的嗓音

恰恰不是你的一部分——

你不会在另一个世界听到它，

再不会清晰地，

再不会是鸟鸣或人的叫喊，

不是清晰的声音，只是

持续的回声

用全部的声音表示着再见，再见——

那条连续的线

把我们缚在一起。

晨祷

原谅我吧，如果我说我爱你：强者，
人们总是对他说谎，因为弱者
总是被恐惧驱使。我不能爱
我无法想象的，而你
实际上什么也没有坦露：你像那棵山楂树吗，
总是同样的面孔在同样的地方，
或者你更像毛地黄，变化不定，先是冒出
一柱粉红在雏菊后面的斜坡上，
到第二年，变成紫色在玫瑰园里？你必定看到
它对我们没有用，这种寂静让人相信
你必定是所有事物，毛地黄和山楂树，
娇弱的玫瑰和顽强的雏菊——任由我们去想
或许你无法存在。是否
这是你想要我们认为的，是否

这解释了清晨的寂静——

蟋蟀还没有摩擦它们的翅膀，猫儿

还没有在院子里打斗？

晨祷

我看它和你一起正如和桦树一起：
我不是要以个人的方式
和你说话。我们之间
许多事已经过去。或者
它一直就是
单方面的？我是
有过错，有过错，我请求你
能通人情——我的贪心
不比其他人更甚。但缺少
所有的感觉，缺少
对我的丝毫关怀——我干脆继续
对那些桦树讲话，
像我从前的生活那样：让它们
做它们最糟糕的，让它们

用浪漫主义艺术家把我埋葬，

它们带尖的黄叶

正在飘落，将我覆盖。[1]

---

[1] 通过被前人已经死亡的作品……落下的残留物覆盖，她的个性得以保留而非遮蔽。（Daniel Morris, 208）

蓝钟花[1]

不是我，你白痴，不是自己，而是我们，我们——

天空的波浪，蓝得

像对天堂的评论：为什么

你珍视你的嗓音，

当成为一物

几近于无？

为什么你仰望？想听到

像神的声音一样的

回声？对我们来说你们都相同，

独居，立于我们之上，计划着

你们愚蠢的生活：你们去

你们被送去的地方，像万物，

风将你们种在那里，

你们一个或另一个永远地

---

[1] 蓝钟花（scilla），百合科，又名绵枣儿、海葱，多年生草本植物。

俯视着，看着水的

某种图像，又听着什么？波浪，

重波浪，鸟儿歌唱。[1]

---

[1] 其他以花为说话者的诗作，如《蓝钟花》，嘲笑诗人园丁所幻想的与一个人格化上帝的单独的关系。花相信自然皆具神性，而自认唯一则暗示骄傲之罪。（Daniel Morris, 195）

远去的风

当我造你们的时候，我爱你们。
如今我怜悯你们。

我给了你们所需要的一切：
大地作床，蓝天作被——

如今我离你们越远，
把你们看得越清楚。
你们的灵魂应该已经广阔无边，
而不是现在这样，
嘀嘀咕咕——

我给了你们每一样礼物，
春天早晨的蓝，
你们不知道怎么用的时间——
你们还想要，那个

为另一种造物保留的礼物。

不管你们希望什么，
你们都将无法找到自己，在花园里，
在生长的植物中间。
你们的生命不像它们那样是循环的：

你们的生命是鸟的飞行，
在寂静中开始和结束——
开始和结束，其形式重复着
从白桦树到苹果树的
这条弧线。

花园

我再不愿做这事了，
我再看下去要受不了——

在花园里，明亮的雨中
那对年轻夫妇正在种下
一排豌豆，仿佛
以前从没有人做过这件事，
这巨大的困难还从来没有人
面对、解决——

他们看不见他们自己，
在新泥里，开始，
没有前景，
他们后面，浅山淡绿，花团锦簇——

她想停下来；

他想继续做这件事，
直到结束——

看她，正抚着他的脸颊
表示停战，她的手指
带着春雨的凉；
在细草里，紫色番红花迸发——

甚至在此，甚至在爱的初始，
每次她的手离开他的脸
都成为分别的意象

而他们认为
他们可以随意忽略
这种悲哀。

山楂树

肩并肩，而非

手牵手：我注视着你们

正走在夏季的园中——

无法移动的事物

学着去看；我不需要

穿过这花园

追逐你；人类

处处留下了

感觉的标记，花

撒落在泥泞小径上，全部

白色和金黄，有些

被夜里的风

稍稍吹起；我不需要

跟随到你现在的地方，

深入有毒的田野，去了解

你逃离的原因，人类的

激情或愤怒：还能为别的什么

你会丢下

你已采集的一切？

月光中的爱

有时一个男人或女人把自己的绝望

强加给另一个，这被称作

裸露心，或称作，裸露灵魂——

意思是此刻他们获得了灵魂——

外面，夏夜，一个完整的世界

被抛在月亮上：团团银色的轮廓

也许是建筑或树木，或狭小的公园

有猫藏在里面，在尘土里仰身翻滚，

玫瑰，金鸡菊，还有，黑暗中，金色的

    国会大厦圆顶

变成了月光的合金，外形

没有细节，神话，原型，灵魂

充满了火，那实际上是月光，取自

另一个来源，短暂地

像月光一样闪亮：石头与否，

月亮仍称得上是一个生命之物。

四月

没有谁的绝望像我的绝望这样——

你在这个园子里没有地方
思考这类事情，制造
这种无聊的外在标志；那个男人
在整个森林里除草，多么显眼，[1]
那个女人跛脚，拒绝换衣服
或洗头发。

你认为我在意
你们是否相互说话吗？
我只是想要你明白
我盼望两个被赋予了心智的生灵
变得更好：这即使不是说

---

[1] 此处用"森林"表示夸张。——作者解释

50

你们实际上应该相互关心，

至少是说你们应该理解

不幸就分布在

你们之间，你们所有同类之间，对于我

要认识你们，就如深蓝色

标志着野生蓝钟花，白色

标志着紫罗兰。

紫罗兰

因为在我们的世界里

有些东西总被遮掩，

小而且白，

小而且如你所称的

纯洁，我们并不悲伤

当你悲伤，亲爱的

痛苦的主啊；你

并不比我们

更迷失，在

山楂树下，山楂托着

平稳的珍珠的盘子：什么

已将你带到愿意教导你的

我们的中间，虽然

你跪着哭泣，

你巨大的两手紧紧扣着，

以你所有的伟大，却丝毫

不了解灵魂的本性——

它从不会死亡：可怜的悲伤的神，

你要么从未有过灵魂，

要么从未失去过灵魂。

女巫草

有物

进入世间，不受欢迎

呼喊着混乱，混乱——

如果你这么恨我，

不要烦心给我

一个名字：是你需要

在你的语言中

增加一次诋毁？又一种

将一切归咎于一个部落的

方式——

正如我们所共知，

如果你崇拜

一个神，你只需

一个敌人——

我不是那个敌人。

仅仅一个伎俩，去忽略

你看到的正发生在

这个苗圃里的事，

失败的

一个小范例。几乎每天都有

一种你珍爱的花在此凋零，

你无法安宁，除非

你抨击那原因，意思是

无论留下什么，无论

发生什么比你的个人激情

更坚定的事情——

这并不表示

要在真实世界里永远持续。

但为什么承认那些，当你能继续

做你一直做的事，

哀悼并躲避着指责，

两者总在一起。

我不需要你的称赞

才存活。是我先在这里，

在你到这里之前，在你
建起一个花园之前。
我还将在这里，当只剩下太阳和月亮，
和大海，和辽阔的旷野。

我将掌控这旷野。

花葱[1]

陷于尘世间，

难道你不是也想

去天堂？我生活在

一位女士的花园里。原谅我，女士；

渴望已带走我的体面。我不是

你以前想要的。但

正如男人女人似乎

欲望彼此，我也欲望

天堂的知识——而如今

你的悲伤，一根赤裸的茎

正伸到门廊的窗口。

而最终，什么？一朵蓝色小花

---

[1] 花葱（Jacob's ladder）：多年生草本植物，白花或紫花。直译是"雅各的
梯子"，出自《创世记》第28章，讲述雅各听从父命，去外祖彼土利家里，
准备在母舅拉班的女儿中娶一女为妻，途中休息时"梦见一个梯子立在地
上，梯子的头顶着天，有神的使者在梯子上，上去下来"。

像一颗星。永不
离开这世界！这不是
你的泪水所表示的？[1]

---

[1] 《花葱》还描述了这本诗集中更大的宗教主题，即为泥土羁绊的说话人如何希望升华，甚至想参与雅各的梯子所指示的另一种"天堂的知识"，肉体的王国，其中"男人女人似乎／欲望彼此"，以及这种花欲望捕捉卧室里那位悲伤的女士的注意力。（Daniel Morris, 194）

晨祷

你想知道我怎样打发时间？

我走过屋前草坪，假装

正在拔草。你应该知道

我根本不是在拔草，我跪着，从花圃

扯着几丛三叶草：事实上

我在寻找勇气，寻找

我的生活将要改变的某种证据，虽然

耗时无尽，检查着

每一丛，寻找那片象征的

叶子，而夏天很快就将结束，已是

草木变衰，总是那些病树

首先开始，那些垂死的

变得灿烂金黄，而几只深色的鸟在表演

宵禁的音乐。你想看我的手？

此刻空空如在第一个音符边。

或者总是想

延续而没有标记？

晨祷

我的心对你算什么

让你必须一次次把它打碎

像一个苗圃专家试验

他的新品种？拿别的什么

去练习吧：我怎能像你偏爱的那样

在群体中生活，如果你强加

一个痛苦隔离区，把我

和我自己部落的健康成员分开？

你并不在花园里

做这事，隔开

生病的蔷薇；你让它挥动友善的

生了害虫的叶子

在其他蔷薇面前，而细小的蚜虫

从一棵迁飞到另一棵，正再次证明

我是你的生灵中最低微的，低于

兴盛的蚜虫和蔓延的蔷薇——父啊，

作为我孤独的创造者，至少

减轻我的罪；取消

隔离的耻辱标志，除非

你是打算让我

又一次永远完好，正如我

曾经完好整一，在我委屈的童年，

如果不是，就在我母亲的心

轻微的重量下，如果不是，

就在梦里，首先

那样将永不死去。[1]

[1] 这首诗中的说话人类似《圣经》中的约伯，她既抱怨神对她的行为，同时也向神请求，但随着"除非"一词的出现，说话人从绝望的边缘转向顿悟似的建设性理解。（Daniel Morris, 211-212）

歌

像一颗被守护的心

那朵血红的

野玫瑰花，开始

在最低的枝条上绽放，

被一大团网状的

灌木支撑着：

它盛开，映着黑暗——

那是心的永恒的

背景，而高处的花朵

已凋谢或憔悴；

幸存

在逆境中，仅仅

加深了它的颜色。但约翰

反驳，他觉得

如果这不是一首诗而是

一个实际的花园，那么

那朵红玫瑰将

不需要模仿

其他东西，无论是

另一朵花，还是

那颗幽暗的心，在

地平线上搏动着

半是暗红，半是腥红。

旷野的花

你在述说什么？说你想要
永恒的生活？你的思想真的
那么令人信服？当然
你不看我们，不听我们，
在你皮肤上
太阳的斑点，黄色

金凤花的粉末：我正和你
谈话，你的目光透过
正摇动你的小拨浪鼓的
高草的篱笆——噢

灵魂！灵魂！是否
只向内看已经足够？对人类的
藐视是一回事，但为什么
鄙视那辽阔的

旷野，你的目光从野生金凤花
清晰的花冠上抬起，望向什么？你可怜的

天堂的观念：缺乏

变化。比世间好？你

怎么知道，当你站在我们

中间，既不在这里也不在那里？

红罂粟

伟大的事情

是没有

头脑。感情：

噢，我有这些；它们

主导着我。我有

一个在天国的主

叫做太阳，我为他

盛开，向他展示

我自己的内心之火，火

就像他的现身。

什么能这般地荣耀

如果不是一颗心？噢我的兄弟姐妹，

你们是否也像我一样，从前，

在你们成为人之前？你们是否

也曾允许自己

再盛开一次，即使

以后再不能开放？因为
事实上，我现在说话
正是以你们的方式。我说
是因为我已凋谢。

三叶草

什么被撒播在

我们中间，你称之为

幸福的标志？

虽然它是一棵草，

就像我们，是将要

被连根拔起的一物——

按什么逻辑

你想要某物死亡

却收藏了

它单独的一根

卷须？

如果有什么显现在我们中间

如此强力，难道它不应该

繁殖，造福

这可爱的花园？

你应该自己
一直问这些问题，
而不是把它们留给
你的受害者。你应该知道
当你在我们中间昂首阔步
我听到两个声音在说话，
一个是你的精神，一个是
你双手的动作。

晨祷

不仅太阳，而且大地

自己也闪光，白色之火

跃自耀眼的群山

和清晨微亮的

平坦道路：难道这是

只为我们，要引起

回应，或者你也

被扰动，无法

控制自己

在大地面前——我羞于

以前对你的想法，

疏远我们，把我们

当成一个实验：成为

任人驱使的动物，

是一件痛苦的事，

一件痛苦的事。亲爱的朋友，

亲爱的正在发抖的同伴，

在你察觉的事情中什么最让你惊讶，

大地的光辉还是你自己的快乐？

对我，一直

快乐就是惊讶。

天堂与大地

一个结束之处，其余的开始。
顶端，一带蓝色，下面，
一带绿色和金色，绿色和深玫瑰色。

约翰站在地平线上：他想
同时要两个，他想
同时要一切。

极端是容易的。只有
中间是个谜。仲夏——
一切都有可能。

意思是：生活将再不会结束。

我怎能留下我丈夫
站在花园里

梦想着这一类事，握着

他的耙子，得意地

准备着宣布这个发现

当夏季太阳的火

真的搁置

被那些燃烧的枫树

整个地遏制

在花园的边上。

门

我曾渴望保持自我，

安静，当这世界从不安静，

不是仲夏，而是第一朵花形成

之前的时刻，一切都还

没有过去的时刻——

不是仲夏，那令人陶醉的，

而是春末，草在花园边上

还没有长高，早郁金香

正要张开——

像一个孩子在门口盘旋，注视着其他人，

那些更早的，

一丛浓密的枝条，警觉于

其他的失败，公众的畏畏缩缩

用孩子对即将到来的能力的那种强烈自信
准备着击败
这些弱点，不屈服于
任何事情，时间正好

先于盛开，掌控的时期

在那礼物出现之前
在拥有之前。

仲夏

我怎能帮助你们，当你们都想要
不同的东西——阳光和阴影，
潮湿的黑暗，干燥的炎热——

听听你们自己，彼此嫉妒——

而你们想知道
为什么我对你们绝望，
你们认为某种东西能把你们融为一体——

盛夏的寂静空气
和一千个声音混杂一起

每个都大声叫喊着
某种需要，某种绝对

并以那种名义，持续地

在开阔的旷野里

彼此绞杀——

为了什么？为空间和空气？

作为天堂之眼中

唯一者的殊荣？

不期待你们成为

独一的。你们是

我的体现，所有的多样化

并不是你认为你看到的

当你寻找着田野之上明亮的天空，

你们仓促的灵魂

像望远镜集中在

你们某种放大的自我上——

我为什么造你们，如果我打算

将自己限于

这上升的标志，

星星，火，愤怒？[1]

---

[1]《仲夏》涉及人与不同品种的花之间的相似性，如果从园丁的层次看，所有这些可能明显不同，但如果从更高水平看，许多方面都是可比的。（Daniel Morris, 217）

晚祷

从前我相信你；我种下一棵无花果树。

在这儿，维蒙特，没有夏天的

国度。这是一个试验：如果这棵树活下来，

那就表示你存在。

按这个逻辑，你并不存在。或者，你仅仅

在温暖的气候里存在，

在炽热的西西里、墨西哥和加利福尼亚，

那儿出产不可思议的

杏子，易碎的桃子。也许

它们在西西里看到你的面容；这儿，我们几乎看
　不到

你外衣的褶边。我不得不约束自己

与约翰和诺亚分享番茄的收成。

如果另外的某个世界上存在正义，那些

像我这样的人，因大自然强迫

而过节制生活的人，就应该得到

所有事物中最好的份额，所有

渴望、贪婪的目标，作为

对你的颂扬。没有人比我颂扬你

更热切，带着更多

被痛苦地阻止的欲望，或是更值得

坐在你的右手边（如果它存在），享用着

那易腐烂的，那不死的无花果，

它并不能旅行。[1]

---

[1] 第一首《晚祷》中的园丁是个多疑者，其经验主义将信仰的必要性置于
怀疑之中。（Daniel Morris, 218）赋予诗以紧迫性的，并不是说所爱的人不
在倾听，而是说所爱的人并不存在。（……）设想上帝可能仅仅存在于温暖
的气候里，是诱使一个克制的神：不言而喻的是这个上帝可能不是上帝，
除非他同时无处不在。（Linda Gregerson. "The Sower against Gardens." *On
Louise Glück: Change What You See*. 37-38）

晚祷

在你长期的缺席中，你允许我

使用土地，期望

投资得到收益。我必须汇报

我执行任务的失败之处，主要是

关于番茄种植。

我觉得我不应该被鼓励

去种番茄。或者，如果我被鼓励，你就该

停止暴雨、寒夜，它们如此

频频光临这里，而其他地区却得到

十二个周的夏天。这一切

都属于你：另一方面，

我播下种子，我观察初芽

像羽翼撕开泥土。是我的心

因枯萎病而破碎，当小黑点如此迅速[1]

---

[1] 枯萎病（the blight）：一种植物疾病，症状包括严重的点斑、凋萎，或部分甚至整株植物死亡。

在田垄上蔓延。我怀疑

你的慈悲，按我们对于这个词的

理解。你并不区分

死者与生者，你因此

对征兆无动于衷，你可能不知道

我们承受了多大的恐惧，那有斑点的叶子，

那甚至在八月就飘落的[1]

枫树的红叶，在最初的黑暗中：我要负起

对这些作物的责任。[2]

---

[1] 只有生病的枫树，才会在八月开始落叶。 ——作者解释
[2] 这首诗前后呈现两种不同风格的语言，翻译时保留了这种面貌。

晚祷

超过了对我的爱，很可能

你更爱旷野那些兽类，甚至，

可能，更爱旷野本身，在点缀着

野菊和紫苑的八月：

我知道。我已经把自己

和那些花相比，它们的感受范围

要小那么多，而且没有反应；和白色的绵羊，

实际上是灰色的，相比：我是独一无二地

适合颂扬你。那为什么

折磨我？我研究了山柳菊，

研究了金凤花——因为有毒而免于

被牧群吃掉：难道痛苦

是你的礼物，让我

意识到我需要你，似乎

我必须需要你才能敬拜你，

或者，你已抛弃了我

转而宠爱旷野，在暮色里变得银白的
坚忍的羔羊；闪着淡蓝和深蓝的
野菊和紫苑的波浪，既然你已知道
你们的服饰多么地相似。

雏菊

继续吧：说说你在想什么。花园

不是真实的世界。机器

是真正的世界。坦率地说说任何傻瓜

都能在你脸上读出的：

回避我们，抵制怀念，

是明智的。风

搅动一片牧场的雏菊发出的声音

是不够现代：思维

无法随着它闪光。而思维

想要闪光，平淡地，像

机器闪光，而非

向深处生长，比如，像根那样。仍然

非常感人，当看到你正小心地

接近草地边缘，一大清早，

那时不可能有人

注视着你。你在边上站得越久，

越是显得不安。没有人想听

自然界的印象：你将被

再次嘲笑；讽刺将堆加在你身上。

至于你今天早晨

确实听到的：请三思

在你告诉任何人，是谁在这旷野里说了什么

之前。

夏天结束

所有事情降临我身上之后，
虚无降临到我身上。

对于我拥有的审美愉悦
有一个限度——

在此我与你不同，
我无法在另一个身体上得到解脱，

我不需要
我自身之外的庇护所——

我可怜的被激发的
造物，你们是
让人分心的东西，最终，

只是限制；结果

你们与我相似之处太少，

无法让我满意。

又如此固执——

你要求对你的消失不见

进行清偿，

全部以某部分土地，

某种纪念品来支付，正如你曾经

因劳作而被酬谢，

抄写员被付以

银两，牧羊人得到大麦

虽然它不是泥土

那永恒之物，不是

物质的这些小碎片——

如果你愿意睁开眼睛，

你会看见我的，你会看见

天堂的空虚

映在大地上，田野

再度空旷，死气沉沉，被雪覆盖——

然后白光
不再伪装成物质。

晚祷

我不再想知道你在哪里。

你在花园里；你在约翰在的地方，

在泥土里，心不在焉，握着他的绿铲子。

他就这样整理花园：十五分钟的剧烈劳作，

十五分钟的出神沉思。有时

我在他旁边工作，做零星琐事，

拔草，给莴苣间苗；有时

我从花园北面的门廊观看，直到暮光

让最早的百合成为灯泡：从始至终，

平静从未离开他。但它急速地流过我，

不是作为那朵花抓住的支撑，

而是像透过那棵秃树的亮光。

晚祷

恰如你曾对摩西显现，因为

我需要你，如今你对我显现，但

不经常。我基本生活在

黑暗之中。你也许在训练我

对最微弱的光亮做出反应。或者，像诗人们，

你是被绝望所刺激，是悲痛

让你显露你的本性？今天下午，

在你通常报以沉默的

物质世界里，我爬上了

那些野生草莓之上的小山，形而上学地

下降，正如我的所有行程：难道我下得那么深

足以让你同情我吗，正如你有时同情

其他痛苦的人，偏爱那些

拥有神学天赋的人？正如你预想的，

我不曾仰视。所以你向我降临：

在我脚边，不是野生蓝莓的

蜡叶，而是你激烈的自我，一整片
火的草场，而远处，火红的太阳不升也不落——
我不是个孩子；我能利用幻象。

晚祷

你以为我们不知道。但我们曾经知道，

孩子们知道这些事情。此刻不要转身——我们曾

   住在

一个谎言里来抚慰你。我记得

早春的阳光，堤岸

织满了长春藤。我记得

躺在旷野里，触着我兄弟的身体。

此刻不要转身；我们曾否认记忆

来安慰你。我们摹仿你，背诵着

我们的惩罚条款。我记得

其中一些，不是全部：欺骗

始于忘记。我记得些小事，花

长在那棵山楂树下，野生蓝钟花的

铃铛。不是全部，但足够

知道你存在：还有谁有理由制造

兄妹间的不信任，除了那个

从中受益的人，我们在孤独中求助的人？还有谁
会这般嫉妒我们那时候的纽带，
来告诉我们说，我们正在失去的
不是大地，而是天堂？

最初的黑暗

你们怎么能说
大地应该给我欢乐？每样事物
生来是我的负担；我无法顾全
你们所有的人。

而你们却想要支配我，
你们想要告诉我
你们中谁最有价值，
谁与我最像。
你们把纯粹的生活，那种
你们努力去获得的超脱
树为一个榜样——

你们怎么能理解我
当你们不能理解你们自己？
你们的记忆没有

足够强大，它无法

回溯得足够远——

永远别忘了你们是我的孩子。

你们受难不是因为你们相互触摸

而是因为你们出生，

因为你们要求生命

与我分开。

丰收

想到你的过去让我悲伤——

看你啊，盲目地依附于大地
仿佛它是天堂的葡萄园
当旷野在你四周的火焰里升起——

啊，小东西，你们多么笨拙：
它既是礼物又是折磨。

如果你所恐惧于死亡的
是比这更大的惩罚，那你不需要
恐惧死亡：

多少次我必须毁掉我自己的创造物
来教导你

这是你的惩罚：

用一个动作我建造了你

在时间里又在天堂里。[1]

---

[1] 格丽克对其文本进行控制的努力尤其明显地体现在她关于耶和华的修辞的想象上，如在《丰收》一诗中对恳请者说话时语气的直率和轻视。（Daniel Morris, 193）

白玫瑰

这儿是世间吗？那么
我不属于这里。

你是谁？在亮灯的窗子里，
此刻掩映在那棵绵毛荚蒾树
枝叶摇曳的阴影里。
你能存活吗，在我活不过
第一个夏天的地方？

整夜，那棵树细长的枝条
在明亮的窗边摆动，沙沙作响。
请给我解释我的生命，你啊不露痕迹者，

虽然我在夜里向你大声呼唤：
我不像你那样，我只有
把我的身体当作噪音；我不能

消失于沉默——

而在寒冷的早晨
在阴郁的地面上空
我的嗓音回声飘散，
洁白渐渐被吸入黑暗

仿佛你终于在制造一个迹象
让我相信你也无法在这儿存活

或向我显示你不是我所呼唤的光
而是它背后的漆黑。

牵牛花

我在另一生有什么罪，

就像我此生的罪

是悲伤，不允许我

向上攀登，永永远远，

无论什么意义上

都不允许重复我的生命，

在山楂树中受到伤害，所有

世间的美我的惩罚

正如它是你的——

我的磨难的源头，为什么

你已从我身上取走了

这些像天空一样的花朵，除了

把我标记成我主人的

一部分：我是

他风衣的颜色，我的肉体赋予

他的荣耀以形式。

普雷斯克艾尔[1]

在每个生命里，有一两个时刻。

在每个生命里，有一个房间，在某处，在海边或
　　在山中。

桌子上，一碟杏子。一只白色烟灰缸里的果核。

像所有图像，这些是一份协议的条件：

在你脸颊上，阳光的颤动，

我的手指按在你的唇上。

墙壁浅蓝；低柜上油漆剥落的一点碎片。

那个房间必定还在，在四楼，

带一个俯望大海的小阳台。

一个方形的白色房间，衬单在床的边缘处折回。

---

[1] 普雷斯克艾尔（Presque Isle）：美国缅因州阿鲁斯图克县的最大城市和
商业中心。

它还没有化为无，化为现实。

透过敞开的窗户，海的气息，碘的味道。

一大早：一个男人在呼唤一个小男孩从水里回来。

那个小男孩——如今该有二十了。

在你脸庞四周，潮湿头发的奔涌，构成褐色的条纹。

平纹细布，银的闪现。沉沉的罐子插满了白牡丹。

远去的光

你就像个年幼的孩子，
总是等着听故事。
而我已经讲了那么多次；
我厌倦了讲故事。
所以我给了你铅笔和纸。
我给了你芦苇做的笔，那芦苇
是许多个午后，我在茂密的草地上亲手采集的。
我告诉你，写你自己的故事。

你听了那么多年，
我想你该知道
故事是什么。

你能做的只是抹眼泪。
你想要别人讲给你听，
什么都不通过你自己的思考。

那时我意识到你不会

用真正的勇气或热情去思考；

你还不曾有你自己的生活，

你自己的悲剧。

所以我给你生活，给你悲剧，

因为很明显，仅仅有方法是不够的。

你永远不知道我多么满意

当看到你坐在那儿

像独立的存在，

看到你在敞开的窗边梦想着，

握着我给你的铅笔

一直到这夏日的清晨消失在写作中。

创造已经给你带来了

巨大的兴奋，正如我知道它会这样，

正如它开始时都这样。

如今我有空做我喜欢的事，

去照料别的东西，满心相信

你已经不再需要我。

晚祷

我知道你曾计划了什么，打算做什么：教导我

爱这个世界，使得完全地拒绝，完全地

再次把它关在外面，变得不可能——

如今它无处不在；当我闭上眼睛，

鸟鸣，早春丁香的芬芳，夏天玫瑰的芬芳：

而你打算把它取走，每朵花，与大地的每一个联

　　系——

为什么你要伤害我，为什么你想要我

在结束时孤独，除非你原本想要我这样渴求希望，

我将拒绝看到这种结果：最终

什么都没有留给我，而宁愿相信

在结束时把你留给了我。

晚祷：基督再临

我的生命之爱，你
丢失了，而我
再次年轻。

几年过去。
空气里充满了
少女般的音乐；
前面庭院里
那棵苹果树
点缀着繁花。

我试图赢得你回来，
这是写作的
核心。
但你永远去了，
像在俄国小说里，说着

我无法记起的一些词语——

世界如此赏心悦目，
如此目不暇接，但它们不属于我——

我看繁花凋落，
不再是粉红色，
而是衰败，衰败，白里泛黄——
花瓣似乎是
漂浮在明亮的草地上，
微微扑动，

你曾是怎样地无关紧要，
如此迅速地被变成了
一幅图像，一种气味——
你无处不在，你是
智慧和痛苦的来源。

晚祷

如今你的嗓音已去；我几乎听不见你。
你星星般的嗓音如今只有影子
而大地再次变暗
伴着你内心的巨大变化。

白天，在枫树林的阔大阴影下
许多地方草在变黄。
如今，我到处被寂静斥责

所以很清楚我无从接近你；
对你来说我并不存在，你已经
在我名字上画了删除线。

在怎样的蔑视中你抓住我们，
相信只有丧失才会把你的权力
印在我们身上，

秋天的第一场雨摇荡着白色百合花——

当你离去，你完全地离去，
从万物中减去了可见的生命

但不是所有生命，
免得我们离你而去。

晚祷

八月底。炎热
像一顶帐篷覆盖着
约翰的花园。而某些事物
仍有勇气，正准备发动，
一株株番茄，一簇簇
晚百合——那些巨大茎秆的
乐观情绪——帝王的
黄金和白银；但为什么
如此接近结束
才开始某些事情？
番茄再不会成熟，百合
将被冬天杀死，它们不会
在春天归来。是否
你在想
我花了太多时间
展望以后，像

一个老妇人在夏天

穿着毛衣？

你是在说我能够

繁盛，虽然

没有希望

持久？红脸颊的火焰，敞开的

喉咙的荣耀，白色，

沾染了深红。

日落

我巨大的幸福
是你的嗓子发出的声音
向我呼唤，甚至在绝望中；我的悲伤
在于我无法用被你认可的
我的言语，回答你。

你对自己的语言没有信念。
所以你将权威
赋予了你无法精确读取的
标记。

而你的嗓音仍然一直抵达我。
而我不断地回答，
我的愤怒结束
当冬天结束。我的柔弱
对你应该是显而易见

在夏夜的微风里

在成为你自己的应答的

词语里。

催眠曲

现在到了歇息时间；眼下
你们已经经历了足够的兴奋。

黄昏，然后是夜晚。萤火虫
在房间里，明明灭灭，这儿那儿，这儿那儿，
夏天深深的甜蜜充满敞开的窗口。

别再想这些事情了。
听我的呼吸，你自己的呼吸
像那萤火虫，每次微小的呼吸
突然一闪，世界在其中出现。

我已经在夏夜里对你唱了足够长的时间。
我将最终赢得你的赞同；世界无法给予你
这种持续的想象。

你必须被教导去爱我。人类必须被教导去爱
寂静和黑暗。

银百合

夜又转凉，像早春的
夜晚，又安静下来。是否
讲话让你烦扰？此刻
我们单独在一起；我们没有理由沉默。

你能看到吗，花园上空——满月升起。
我将看不到下一个满月。

春天，当月亮升起，就意味着
时间是无尽的。雪花莲
张开又闭合，枫树的种子
一串串落下，黯淡的堆积物。
皎洁复皎洁，月亮升起在那棵桦树上空。
在弯曲处，那棵树分叉的地方，
第一批水仙的叶子，在月光中
柔和而微绿的银色。

现在，我们一起朝着尽头已经走了很远，
再不用担心那尽头。这些夜晚，我甚至不再能确定
我知道那尽头意味着什么。而你，你已经和一个
　男人在一起——

在最初的叫喊之后，
难道快乐，不是像恐惧一样，再无声息了吗？

九月的曦光

我曾把你们聚拢起来，
我也能把你们摒弃——

我厌烦了你们，
生活世界的混乱——
我只能让自己
照顾一个生命这么久。

我召唤你们进入存在
只用我动动嘴唇，翘起
我的小手指，微光闪烁的

野生紫菀的
蓝，百合的
花朵，巨大的，
有金纹的——

你们来了又去；终于
我忘了你们的名字。

你们来了又去，你们每一个
以某种方式败坏，
以某种方式和解：你们值得
一次生命，不过如此。

我曾把你们聚拢起来；
我也能把你们抹去
仿佛你们是一份要被丢弃的草稿，
一次练习

因为我已完成了你们，
最悲切的想象。

金百合

当我意识到

此刻我就要死去，知道

我将不再开口讲话，不再

存活于世，不再

从这儿被召唤，再不是

一朵花，只是一根刺，阴冷的污泥

抓住我的肋骨，我呼唤你，

父啊主啊：你看周围，

我的同伴们在凋零，以为

你没有看见。他们

怎么能知道你看见了

如果你不救我们？

在夏日的暮光里，你是否

足够近，能够听见

你的孩子的恐惧？或者

虽然你养育了我，

却并不是我的父？

白百合

正如一个男人和一个女人

在两人间造一个花园，像

一床星斗，在此

他们留恋着这夏天的夜晚

而夜晚渐冷，

带着他们的恐惧：它

可能结束一切，它有能力

毁坏。一切，一切

都可能迷失，在香气中

细长的圆柱

正徒然地升起，而远处，

一片巨浪翻腾的罂粟之海——

嘘，亲爱的。我并不在乎

我活着还能回到多少个夏天：

这一个夏天我们已经进入了永恒。

我感到你的双手

将我埋葬，释放出它的辉煌。

草场

Meadowlands，1996

献给罗伯特（Robert）和弗兰克（Frank）

让我们玩挑音乐的游戏吧。最喜欢的形式。

歌剧。

最喜欢的作品。

《费加罗》。不。《费加罗》和《唐豪瑟》。现
在轮到你了：为我唱一曲。

珀涅罗珀之歌

小灵魂，永远赤裸的小灵魂，

现在就照我吩咐的去做，爬上

搁板一样的杉树枝；

在上面等着，警惕些，像

一名哨兵或瞭望员。他很快就要回家；

你有必要变得

宽宏大量。你也不是全然

毫无瑕疵；由于你那惹麻烦的身体

你也做过一些事，不便于

在诗中讨论。所以

大声叫他，在宽阔的水上，明亮的水上

用你深沉的歌声，用你诱人的，

奇异的歌声——激情的，

像玛莉亚·卡拉斯[1]。谁

[1] 玛莉亚·卡拉斯（Maria Callas, 1923—1977），希腊裔美国女高音歌唱家；其著名演出包括这本诗集最后一首诗结尾处提到的歌剧《诺玛》。

不想要你呢？谁的恶魔般的欲望

你会满足不了？很快

他就回来了，无论此刻正去往何方，

外出这段时间他晒黑了，他想吃

他的烤鸡。啊，你必须跟他打招呼，

你必须摇动树枝

吸引他注意，

但要小心，小心，免得

掉下太多的针叶

扎伤了他英俊的脸。

迦拿[1]

我能告诉你什么你所不知道的

让你再次发抖的?

金钟花

在路边,在

潮湿的岩石边,在河堤上

下面生长着风信子——

十年里我一直幸福。

你在那儿;在某种意义上,

你始终和我在一起,房屋,花园

一直被照亮,

不是被我们拥有的天空里的光

而是光的那些象征,

---

[1] 迦拿(Cana):巴勒斯坦北部一个村镇,相传耶稣在此初行神迹,把水变成了酒,见《新约·约翰福音》。

它们由某种尘世之物
隐秘地转换而来，
更强烈——

尔后这一切消逝，
又被吸入冷漠的进程。那么
我们将凭什么去看？
既然那黄色的火炬已经变成了
绿色的枝条？

宁静夜

你牵了我的手；那时我们单独
在阴森森的树林里。几乎一转眼

我们就在一座房子里；诺亚
已经长大，搬走；铁线莲在十年后
突然开了花，洁白。

超过了世间万物
我爱我们在一起的这些夜晚，
这宁静的夏天的夜晚，此刻天空仍然明亮。

就这样珀涅罗珀牵了奥德修斯的手，
不是要把他挽留，而是要把这种宁静

印在他的记忆里：

从这时起，你所穿越的那种寂静
是我的声音在追随你。

礼仪

我断了吃菊芋的喜好，当我不再吃
黄油。茴香
我从不喜欢。

有件事我一直对你
憎恨：我恨你拒绝
让别人在这屋里。福楼拜
有许多朋友，而且福楼拜
是个隐士。

    福楼拜是疯子：他跟他母亲
    住一起。

和你住一起就像住在
寄宿学校：
周一吃鸡，周二吃鱼。

我也有交情深的朋友。

我有朋友

跟其他隐士。

为什么你把这称作固执？

难道不能称作

好客尚礼？或者是你对美的渴求

已被你自身完全满足？

另一件事：再说出一个

没有家具的人。

我们周二吃鱼

因为周二的鱼新鲜。假如我会开车

我们可以换个日子吃鱼。

要是你极想

寻找先例，试想一下

史蒂文斯。史蒂文斯

从不旅行；那并不表示

他不懂快乐。

快乐，或许，但不是
喜悦。当你做菊芋，
做给你自己吧。

国王的寓言

那位伟大的国王眼望前方

看到的不是命运

而只是黎明闪耀

在无名岛上：作为国王

他思考必行之事——最好

不重新考虑方向，最好

一直向前

在波光粼粼的水上。无论如何，

所谓命运，只是忽略历史

及其伦理困境的

一个策略，审视当下的

一种方式，并由此

做出决定，正如过去（国王

作为年轻王子的形象）和辉煌的未来

（年轻女奴的形象）

之间的必要联系。无论

前方是什么，为什么必须
如此炫目？有谁能已经知道
那不是通常的太阳
而是火焰，正升起在一个
即将灭绝的世界之上？

无月之夜

一位女士在黑暗的窗边哭泣。

我们必须说是怎么回事吗？难道我们不能

只说是个人的事？这是初夏；

隔壁，赖茨一家正在练习克莱兹默音乐[1]。

一个美好的夜：竖笛悠扬。

至于那位女士——她将永远等待；

继续观察已没有意义。

片刻之后，街灯熄灭。

但永远等待

一直是答案？没有什么

一直是答案；答案

依故事而定。

---

[1] 克莱兹默音乐（klezmer music）：东欧犹太人代代相传的喜庆音乐。

如此错误：想要

所有事情都清楚。怎样度过

一个人的夜晚？尤其

像今夜，此刻如此接近结束。

而另一面，任何事都可能发生，

世上所有的欢乐，星星正在消逝，

街灯正变成一个巴士站。

别离

夜不黑；黑的是这世界。
和我再多待一会儿。

你的双手在椅背上——
这一幕我将记住。
之前，轻轻拨弄着我的肩膀。
像一个人训练自己怎样躲避内心。

另一个房间里，女仆悄悄地
熄灭了我看书的灯。

那个房间和它的石灰墙壁——
我想知道，它还怎么保护你
一旦你的漂泊开始？我想你的眼睛将寻找出
它的亮光，与月光对抗。
很明显，这么多年之后，你需要距离

来理解它的强烈。

你的双手在椅背上，拨弄着
我的身体和木头，恰以同样的方式。
像一个想再次感受渴望的人，
珍视渴望甚于一切别的情感。

海边，希腊农夫们的声音，
急于看到日出。
仿佛黎明将把他们从农夫
变成英雄。

而那之前，你正抱着我，因为你就要离开——
这些是你此刻的陈述，
并非需要回答的问题。

我怎么能知道你爱我
除非我看到你为我悲伤？

伊萨卡 [1]

心爱的人

不需要活着。心爱的人

活在头脑里。那架织布机

是给求婚者准备的，张挂起来

像一架竖琴，有白色的裹尸布针线。

他曾是两个人。

是那个身体和声音，一个

活生生男人的轻易的磁性，后来

是展开的梦或形象——

由那个操作着织布机的女人所塑造，

她坐在那儿，一个大厅里，

里面挤满了死脑筋的男人。

---

[1] 伊萨卡（Ithaca）：希腊神话中奥德修斯的故乡。

145

当你同情

那被欺骗的大海——

它曾试图把他永远带走，

而只带走了第一个，那个

真实的丈夫，你必定

同情这些男人：他们不知道

他们在看什么；

他们不知道一个人这样去爱的时候

裹尸布就成了结婚礼服。

忒勒马科斯的超然

当我还是孩子时，看着
我父母亲的生活，你们可知道
我怎么想？我觉得
让人心碎。如今还觉得
让人心碎，而且
荒诞。而且
非常滑稽。

人质的寓言

希腊人正坐在海滩上

想着战争结束后干什么。没有一个

想回家，回到

那个瘦骨嶙峋的小岛；每个人都想沾染

多一点儿特洛伊，多一点儿

边缘处的生活，感觉每天

都塞满惊奇。但怎么解释这些

给在家里的人听？对于他们

投身战争是一个可信的

不在家的借口，而

探测一个人不务正业的能力

并不是。好吧，这一点

以后再面对；他们

是擅长行动的男人，情愿把洞察力

留给女人和孩子。

在大太阳下反复思索着这些事情，为

前臂上一种新的力量而高兴，那儿

似乎比他们在家时更加金黄，有些人

开始有一点儿想家，

　　想念妻子，想看看

这场战争有没有让她们变老。有些人

感到稍微不安：难道战争

只不过是一场男人版的化妆打扮？

一个游戏，意在逃避

深层的精神问题？唉，

但并非只有战争。世界已开始

向他们呼唤，一场歌剧将以战争

喧哗的和弦开场，以塞壬们漂浮的咏叹调结束。

此刻，在海滩上，讨论着各种各样的

到家的时间表，没有一个相信

会花上十年才回到伊萨卡；

没有人预见到十年里无法解决的困境——噢，无

　　法回答的

对人心的折磨：怎样才能

把世界的美划分成可以接受的

和不可以接受的爱！在特洛伊的海滩上，

希腊人怎么能知道

他们已经是人质：谁曾经

149

耽搁了旅程，谁就是

已经被迷惑；他们怎么会知道

在他们为数不多的人中间

有些人将永远地被快乐之梦扣留，

有些被睡眠，有些被音乐？

下雨的早晨

你不爱这个世界。
如果你爱这个世界，你就会
在诗中描绘它。

约翰爱这个世界。他有
一句名言：不作评判
才能免于被评判。不要

根据那个理论——
一个人不可能爱上
拒绝了解的东西——
来争论这一点：拒绝

言语，并非
抑制感知。

看约翰，置身外面的世界，

甚至在今天这样的糟糕日子

还在奔跑。你

保持干燥，像那只猫可悲的

猎捕死鸟的偏好：完全

符合你乏味的精神主题，

秋天，丧失，黑暗，等等。

我们都会写痛苦，

哪怕闭着眼睛。你应该多向别人

展示你自己；向他们表露你隐秘的

对红肉的激情。

藤架的寓言

一棵铁线莲长在巨大的藤架脚下。
虽然像一棵树，铁线莲
仍然是人类的创造；每年，到五月，
奋力前行的藤蔓用绿丝线
攀援简陋的
藤架，而许多年后
白色的花从易碎的木头上冒出来，像
来自花园心脏的一场流星雨。

看够了那个伎俩。我们都知道
如果没有藤架，藤怎样
生长，怎样在地上
小心潜行；我们两人都已看到它
在那儿开花，白色的花朵
像汽车前灯从一条蛇身上生长出来。

这不是藤希望的。

记住，对于藤，藤架

从来不是表示监禁的意象：

这不是

贬低或悲剧。

藤有一个光明之梦：

相比于受到支撑的攀登，

泥土里的生命及其黑暗的自由

算得上什么？

而每个夏天

有一段时间，我们都会看到那棵藤

重演这个结局，如此

遮蔽着那木头，它自身

漂亮的结构，像

一个港湾或一棵柳树。

忒勒马科斯的罪

我母亲奉行的

对我父亲的耐心

（在他的自我

专注中，他误认为

是敬意，虽然事实上[1]

是一种愤怒——难道他

不曾疑惑过：为什么他

在表达他天生的放纵时

如此语塞？）：这感染了

我的童年。她耐心地

养育我；耐心地

使唤那些好心的

奴隶，他们照顾我，不在意

我的行为：一副自大的模样

---

[1] 考虑到这本诗集的复调性文本，对于忒勒马科斯关于父母行为背后动机的洞察，我们必须对其准确性持怀疑态度。（Daniel Morris, 242）

越来越蛮横，以此

试探他们。对我来说很清楚

在她眼里

我不存在，既然

我的举动

没有力量妨碍她：我是

玩伴们嫉妒的对象。

在之后的几十年里

我为我的父亲

离家在外而骄傲，

哪怕他以错误的理由

离家在外；

我过去常常发笑

当我母亲流泪。

如今我希望她能够

原谅那种残酷；我希望

她明白，这多么像

她自己的冷酷，

与深爱的人

保持分离的

一种方式。

周年

我说过你可以偎着我。那并不表示
你冰冷的双脚放在我的家伙上。

应该有人教你在床上怎么做。
我想的是你应该
把你的冷冰冰留给你自己。

看看你做了什么——
你让那只猫挪走了。

　　但我不想让你的手放那儿。
　　我想让你的手放这儿。

　　你该注意我的脚。

你该画下它们

当你下次看到一个火热的十五岁。

因为那些脚走来的地方，还有许多。

草场 1

我希望我们去散散步
像斯蒂文和凯茜；那样
我们会高兴些。甚至从那条狗
你都能看出。

    我们没有狗。
    我们有一只不友善的猫。

    我认为萨姆
    很聪明；他憎恨
    当一只宠物。

    为什么总是家人和你在一起？
    难道我们两个不能算是成年人吗？

看看"上尉"多么快乐，多么平静地

在这世界上。难道你不喜欢
他坐在草坪上、抬头盯着鸟的样子？他以为
因为他是白色的，他们就看不见他。

你知道他们为什么快乐？他们
养了孩子。而且你知道他们为什么
带着孩子散步？因为
他们有孩子。

　　他们没有什么像我们；他们
　　不旅行。这就是他们为什么养狗。

你可注意到阿丽莎散步回来时总是
叼着东西，将大自然
带进屋里？春天的花，
冬天的枯枝。

　　我打赌那些孩子们长大后
　　他们还养着那只狗。
　　他是只小狗，实际上
　　是只狗崽。

如果我们不指望

萨姆跟着，难道我们不能

带他一起？

你可以抱着他。

忒勒马科斯的善良

小时候，我经常

禁不住地为自己

感到难过；就实际而论，

我没有父亲；我母亲

活在织布机旁，猜想着

她丈夫的情色生活；渐渐地

我意识到那座岛上没有哪个孩子

有不一样的故事；我的磨难

是普遍情况，对我们所有人

常见不过，是我们

之间的纽带，所以

颇具人性：而我妈妈

过着怎样一种生活，没有同情：

对于我父亲的遭遇，对于

一个本性热烈，而因此

自愿毁灭的灵魂。而我父亲也没有

任何觉察，对于她以不作为

来微妙表达的勇气，因为

他自己喜欢夸大其辞，

表现出来：我发现

我可以和我最亲密的朋友

分享这些心得，当他们拿自己的

来与我分享，以此检验他们，

完善他们：如今作为一个成年人

我能看着我的父母

不偏不倚并怜悯他们两人：我希望

一直能够怜悯他们。

禽兽的寓言

那只猫绕着厨房
带着那只死鸟，
它的新玩物。

应该有人跟这只猫
讨论伦理学，既然
它调查那只跛脚的鸟：

在这屋子里
我们并不经历
这种方式的意志。

把这些告诉那只动物，
它的牙齿已经
深深咬入另一只动物的血肉。

午夜

对我说，疼痛的心：你

正给你自己发明什么荒谬的差事？

在黑暗的车库里哭泣

带着你的垃圾袋：把垃圾带出去

不是你的工作，清空洗碗机

才是你的工作。你又在炫耀，

恰如你童年时所做的那样——哪里是

你大度的一面，你出名的

冷嘲热讽的超脱？一点月光轻敲

那扇破窗，一点夏天的月光，轻柔

来自大地的低语，带着它情愿的甜蜜——

这是你与你丈夫

交流的方式？在他呼唤时

却不应答，或者这是那颗心

悲伤时行事的方式：它希望

单独和垃圾在一起？如果我是你，

我会考虑长远。十五年后，
他的嗓音可能正变得疲惫；某个夜里
如果你不应答，会有别人应答。

塞壬

当我坠入爱，我就犯了罪。
以前我是个女招待。

我不想和你一起去芝加哥。
我想和你结婚，我想
让你的妻子受折磨。

我想让她的生活像一出戏
戏里的所有角色都悲伤不已。

一个善良的人
会这样想吗？我称得上

勇气可嘉——

我坐在你家门廊的黑暗里。

对我来说一切都清楚：

如果你妻子不让你走

那就证明她不爱你。

如果她爱你

难道她会不想让你幸福？

如今我想

如果当时我少一些感觉，我就会

是一个更好的人。我本来

是个不错的女招待。

我能端八份饮料。

我曾经给你讲我的梦。

昨天夜里我看到一个女人坐在黑暗的巴士里——

梦中，她在哭泣，她乘坐的巴士

正在离去。一只手

她挥动着；另一只手抚摸

一个盛满了婴儿的鸡蛋托。

那个梦并不能挽救那位女士。

草场 2

阿丽莎没有为这屋子
带回枯枝；那些枯枝
属于那只狗。

船坞

我的心曾是一面石墙
你总算破墙而出。

我的心曾是一座岛上花园
即将被你践踏。

你不想要我的心；
你正接近我的身体。

这都不是我的错。
你是我的一切，
不仅是美和财富。
当我们做爱
那只猫去了另一间卧室。

然后你就忘了我。

并非没有原因
那些石头
绕着花园围墙抖动：

如今那儿什么都没有
除了荒野（人们称之为自然），
主导一切的混乱。

你带我去了一个地方
让我在那儿看到我性格中的恶
并把我留在那儿。

那只被遗弃的猫
在空空的卧室里呜咽。

鸽子的寓言

一只鸽子居住在小村里。

当它引吭高歌

声音甜美，像

一片银光萦绕

那棵樱桃树。但

那只鸽子并不知足。

它看到村民们

聚集在那棵开花的

树下倾听。

它并不想：我

是比他们高贵的。

它想在他们中间走动，

经历人类情感的狂暴，

一半是为了它的歌。

就这样它成了人。

它找到了激情，找到了狂暴，

先是混杂在一起，后来

作为单独的感情，

而这些，并没有

包含在音乐中。于是

它的歌声变了，

它成为人的渴望——这甜美的音符

发馊而平淡。后来

世界退到一旁；突变

从爱中坠落

正如从樱桃树上坠落，

它坠落，沾着那棵树的

血红的果实。

这样毕竟是真实的，不仅仅

是艺术的一个规律：

改变你的形式，你就改变你的本性。

而时间对我们做了这一切。

忒勒马科斯左右为难

我一直决定不下
在我父母亲的墓上
应该写什么。我知道
他想要什么：他想要
被人爱，这话
当然说到了点子上，尤其是
如果我们数一数所有的
那些女人。但是
这样就让我母亲
遭受冷落。她告诉我
对她来说，这些
丝毫无关紧要；她更愿意
以她自己的成就
被人描述。似乎是
不够得体，如果提醒他们
说：一个人敬重死者

174

并不是通过永远铭记

他们的虚荣，他们的

自我心理意象。

我自己的嗜好

要求精确，而不是

啰里啰嗦；他们

是我的父母亲，因此

我看他们在一起，

有时候像是

夫妻，更多时候

像是冤家。

草场 3

"巨人"[1]怎么能把那个地方

称为"草场"？跟

一块牧场相比，它大约

和在一个烤箱里差不多。

新泽西

曾是农村。他们想让你

记住这点。

西姆斯

不是无赖。泰勒

也不是恶棍。

---

[1] "巨人"（the Giants）：这里指纽约橄榄球巨人队（New York Giants）；
其主场地叫作草场（Meadowlands），位于新泽西东北部；本诗中提到了球
队的著名球员西姆斯（Phil Simms）和泰勒（Lawrence Taylor）。

我想的是，我们应当
看看我们周围
现实一些，看看它们
现在怎么样。

关于那所房子
我告诉你的就是这些。

没有哪个巨人
会用你那样的方式说话。
假如你迷上了什么东西
你会是一个更好的人。
当你嘴上那样说的时候
你简直像你的母亲。

你知道他们是什么人？
人中之"王"。

那么是什么王
解雇了西姆斯。

岩石

大地的

可怕的隐秘处

之象征，黑暗

和罪恶的头脑

之精灵，我感到

你体内确实有某种

人类的东西，能够

在言语中接近。你还怎样

用令人着迷的消息

接近了夏娃？我为她的过错

已经付出了凄惨的

代价，所以

请听我细说。告诉我

你在地狱过得怎么样，

地狱里有什么要求？

因为我想把我爱的人

送到那里。当然

不是永远：

我可能什么时候

想要他回来，不是

永久的伤害，而是

严厉的惩戒，

因为他不曾受过，在此

尘世间。我应该

给他什么

当保护，什么样的盾牌

将不完整地

掩护他？你一定要

当他的向导和主人：帮他

蜕去他的皮

正如你一样，虽然就此而言

我们想要他

在下面老相一点，或许

有点儿鼠相。我相信

你肯定懂得

其中的微妙——你显得

那么兴致勃勃，你不要

溜回到你的岩石下面！噢

我确定我们莫名地心有戚戚

哪怕你不属于

人类；或许我还是

有着爬行动物的灵魂。

喀耳刻[1]的威力

我从没有把任何人变成猪。
有些人就是猪；我让他们
有了猪的样子。

我厌恶你们的世界
它让外表掩饰内心。

你的随从并不是坏人；
散漫不羁的生活
让他们变成这样。作为猪，

它们在我和女伴们

---

[1] 喀耳刻（Circe，或 Kirke，又译瑟西）：希腊神话中太阳神赫利俄斯和海洋女神珀耳塞的女儿，住在海岛上。在《奥德赛》中，奥德修斯返家路经海岛，随行人员被变为猪，奥德修斯由于神助而抵挡住她的魔法，并迫使她释放随从；两人在岛上共同生活一年，后喀耳刻协助奥德修斯返乡。

照料之下

马上就温和了。

于是我倒念咒符，

让你见识我的善意

和我的威力。我看得出

我们在这儿可以过得幸福，

正如男男女女

在欲求简单的时候。几乎同时，

我预见到你要离去，

由于我的帮助，你们敢于迎战

汹涌咆哮的大海。你认为

几滴泪水就让我心烦意乱？我的朋友，

每个女巫在心里

都是实用主义者；谁不能面对局限

就看不到本质。如果我只想留下你

我可以把你留作囚犯。

忒勒马科斯的奇想

有时候我奇怪父亲

在海岛上的那些年：为什么

他对女人们

那么有吸引力？他那时落魄不堪，我猜

他应该绝望。我相信

女人们喜欢看到一个男人

仍然完整，仍然挺立，但

即将垮掉：这样的崩溃

总能唤起她们的

激情。我想象他和她们

完全赤裸地

过着整天的生活。那一定让他

眼花缭乱，我想，女人们

比他年轻那么多，

明显地为他发狂，情愿

做他渴望的任何事。他

遇到如此遂他心愿的情形，过了

这么多年

却不被质疑，不受挫败，

这是幸运吗？一个人

必须相信自己

非常善良，或值得尊敬。

我猜想，最终，要么

一个人变成怪物，要么

被爱他的人看清品性。我从没有

渴望父亲的生活，

也完全不知道

那时他为了活命

所付出的代价。如果相信

他是被勾引到她们身边，并因此留下来

去看她们是谁，这样想

就不那么危险。尽管我觉得

作为一个爱幻想的男人，

某种程度上，他

已成了她们那样的人。

飞翔的寓言

一群鸟正飞离大山的一侧。
黑色映着春天的傍晚，初夏的青铜色，
升起在苍茫的湖水之上。

为什么那个年轻人突然被扰动，
他的注意力从他的同伴身上滑落？
他的心不再是整个地被分开；他正费力思考
如何满怀同情地述说这些。

此刻我们听到其他人的嗓音，正穿过图书馆，
飘向露台，夏天的门廊；我们看到它们
正回到它们通常的位置：各种吊床和椅子，
老屋里的白木椅，正重新排列着
那些条纹坐垫。

鸟儿飞往何方重要吗？甚至它们是哪种鸟

重要吗？

它们离开这里，这是关键，

先是它们的身体，然后是它们的悲鸣。

从那一刻起，对我们来说不复存在。

你必须学会用这种方式思考我们的激情。

每个吻都是真实的，然后

每个吻都留下了大地的面容。

奥德修斯的决定

这位大英雄背弃了那座岛屿。

如今他再不会死在天堂，

再不会听到

天堂的竖琴，在橄榄树间，

在清澈池塘边的柏树下。时间

现在开始了，他又一次从中听到

脉搏跳动，那是大海的

讲述，曙光在它的力量最强时来临。

那把我们带来的

将引领我们离去；我们的船

在港湾色彩斑斓的水上起伏。

如今咒符已解。

还给他吧，他的生活

那是只会向前行进的大海。

返乡

院子里原来有一棵苹果树——
那应该是
四十年前——后面，
只有草地。一丛丛番红花
在潮湿的草丛里。
我曾站在窗前：
四月将尽。春天
花朵在邻家院子里。

有多少次，真正地，那棵树
在我生日那天开花，
正好那天，不早，
也不晚？永恒不变
替代了
物转星移。
这幅图像替代了
无情的世界。关于

这块地方，我所知的便是，
几十年来那棵树的角色
被它们取代：一株盆景，网球场
传来的升腾的人声。
茂盛的青草的气息，新割过的。
正如人们对一位抒情诗人的期待。
童年时，我们一度注视这世界。
其余的是记忆。

蝴蝶

看，一只蝴蝶。你刚许了愿吗？

你不凭蝴蝶许愿。

你这样做。你刚许了个愿吗？

是的。

它不作数。

喀耳刻的痛苦

我悲伤，悔恨

爱你那么多年，无论

你在还是不在，痛惜

那法律，那召唤

禁止我留下你，那大海

一片玻璃，那被太阳漂白的

希腊船只的美：我怎么

会有魔法，如果

我没有发愿

把你变形：就如

你爱我的身体，

就如你发现那时候

我们的激情超乎

其他一切馈赠，在那独一的时刻

超乎荣誉和希望，超乎

忠诚，以那结合之名

我拒绝了你

对你妻子的那种情感

正如愿意让你

与她安度时光，我拒绝

再次与你同睡

如果我不能将你拥有。

喀耳刻的悲伤

最终，我让自己

被你妻子知道，正如

神会做的那样，在她自己屋里，在

伊萨卡，只有声音

而没有身形：她

停止了织布，她的头

先转向右，再转向左

虽然，当然不可能

顺着声音找到任何

目标：但我猜想

当她回到她的纺布机旁

她心里已经知道。等到

你们再见面时，请告诉她

这就是神说再见的方式：

如果我一直在她的脑子里

我也就一直在你的生活中。

珀涅罗珀的固执

一只鸟飞到窗边。把它们

当成鸟儿

是错误的，更多的时候

它们是信使。这就是为什么，它们一旦

骤然落到窗台，便端坐，

静止得近乎完美，嘲笑

耐心，昂首歌唱

它们三音节的警告，

囡夫人，囡夫人，随后飞去

像一片黑云从窗台飞到那片橄榄树林。

但谁会派一个如此无足轻重的生灵

来评判我的生活？我思想深邃，

记忆绵长；我为什么要嫉妒那样的自由

当我还有仁慈心？那些

长着最小心脏的生命，才有

最大的自由。

忒勒马科斯的告白

他们

在他离开时

并没有变得更好；最终

我变得更好。这

让我惊讶，不是因为我确信

我需要他们两人，而是因为

尽管我早已成年，但还保留着

孩童时对仪式的

某些渴望。还能怎么诉说

那种被爱得

不够的感觉？也许

所有孩子

都被爱得不够；我

不会知道。但

他们两人一直对我

怀着不同的期望：必须

在任意给定时刻

成为每个人要求的

那个人，并不比

不得不成为两个人

更让人精疲力竭。不久

我认识到实际上

我是一个人；我有

我自己的嗓音，我自己的感觉，虽然

我很晚才想到它们。我不再后悔

在旷野的那个糟糕时刻，

带走了我父亲的

那次行动。我母亲

为我们伤透了心。

空虚

我明白了你为什么不买家具。
你不买家具是因为你心情抑郁。

我要告诉你你错在何处：你
不合群。你应该
看看你自已；你唯一完全高兴的一次
是你剁碎一只鸡。

为什么我们不能谈谈我想谈的？
为什么你总是改变话题？

你伤了我的感情。我不会
误把重复当分析。

你应该把那些药丸吃一粒，
也许你会写得更多。

也许你有某种空虚综合征。

你知道为什么你烹饪？因为
你喜欢控制。一个喜欢烹饪的人也是一个喜欢
制造债务的人。

实在的人！实在的人类
正坐在我们起居室里的椅子上！
我将告诉你什么：我将学习
桥牌。

不要把它们当作客人，把它们当作
更多的鸡。你就会喜欢。
如果我们多一些家具
你可能会多一些控制。

忒勒马科斯的重负

没有什么事

变得困难，是恰好因为

日常发展，补偿

感觉到的

缺席和遗漏。我母亲

是那种女人：

她让你知道她正遭受折磨，然后

否认那种折磨，因为在她看来

遭受折磨是奴隶的事；当

我试着安慰她，

减轻她的痛苦，她

抵制我。如今我认识到

如果她能够坦诚

她原本是一个

恬淡的人。遗憾的是

她是一个女王，她想让人理解

每时每刻她都已经选择了
她自己的命运。为选择那种命运
她宁愿发疯。好吧
祝我父亲好运，按我的观点
如果他期待他的返回
减少她的孤独，那就是
一个愚蠢的男人；也许
他正是为此而回。

天鹅的寓言

在世界地图之外

有一个小湖泊，生活着

两只天鹅。作为天鹅，

他们花费一天的百分之八十

在殷勤的水上研究自己，

百分之二十服侍所爱的

另一个。因此

他们相爱的美名主要源于

自恋，因此

没什么时间

做更多平常的游弋。但

命运另有计划：十年后，他们

轻击黏稠的水面；不管污物是什么，都

粘到雄性的羽毛上，羽毛

立刻变灰；同时

他的颈的灵活设计

之真实目的也自我揭示。那么多

在平坦湖面上的动作，那么

让他怀念！或早或晚在共同的

漫长一生里，每一对都遭遇

这样的不测，某种

以伤害结束的

戏剧。这

为一个理由而发生：测试

爱，并要求

对这个复杂字眼的新鲜表达。

所以渐渐明白了：雄与雌

在不同的旗帜下飞行：在

雄性相信爱

是自己的内心感受之处

雌性相信

爱是自己的作为。但这并非

一个关于雄鹅的

内在堕落的小故事，用以证明天鹅

对纯洁的定义非常糟糕。这是

一个有关欺骗和无辜的故事。有十年

雌性研究雄性；她调情

当他睡着或是

适宜地浸于水中，

而率直的雄天鹅

随意而动，凭着

片刻的兴致。在泥泞的水上

他们争吵一会儿，在暗淡的光里，

直到争吵慢慢地

变得抽象，变成

他们的歌曲的一部分

在略微长久之后。

紫色泳衣

我喜欢看你整理花园，
身着紫色泳衣，背对着我：
你的背是你身上我最喜欢的地方，
那地方离你的嘴最远。

你可能把某种思想赋予那张嘴。
也可能赋予你除草的方式，把草
在地面上打碎，在你应该
把它连根拔起的时候。

有多少次我不得不告诉你
草怎样撒成了一片？尽管
你的小草堆，在一片漆黑里
靠摊平它的表面，你最终让它
完全模糊。看你

盯着那菜园里齐整的一行行
之间的空地，明显地
干得卖力而结果可能是
最糟糕的工作，我想

你是个急躁不安的紫色小东西
而我愿意看你从地面上走远
因为你是我生命中的所有过错
而我需要你，我拥有你。

忠诚的寓言

此刻，曦光里，在宫殿台阶上
国王恳求王后的宽恕。

他并不是
表里不一；他已尽力
正好做到诚实；难道还有别的方式
诚实地面对自己吗？

王后
掩着脸，某种程度上
得到阴影的协助。她哭泣
为她的过去；当一个人有了秘密生活，
这个人的眼泪永远无法解释。

但国王仍然乐意承担
王后的悲痛：他的

宽大的心胸，

在痛苦中如在欢乐中。

你可知道

宽恕意味着什么？它意味着

这世界已经有罪，这世界

必须被宽恕——

重聚

当奥德修斯最后回到伊萨卡

没有被人认出来，他杀死了

那些蜂拥在国王座室里的求爱者，

又非常巧妙地示意忒勒马科斯

走开：正如二十年前他站着那样，

此刻他站在珀涅罗珀面前。

在王宫的地面上，宽阔的阳光正从金黄

变成红色。他一点儿都没讲

那些年的事儿，而是专捡

零碎琐事来说，就像是

长久在一起的男人女人所习惯的那样：

一旦她看出他是谁，就会知道他做过什么。

而他一边说话，啊，

一边温柔地抚弄着她的前臂。

梦

我做了个最怪异的梦。我梦见我们又结婚了。

你说了很多。你不停地说话，比如这才是现实。
当我醒来，我开始读我过去的所有的日记。

我想你讨厌日记。

如今难过时，我才写日记。不管怎样，
那些年我一直觉得我们多么幸福啊，
我写了好多日记。

你可曾想过这事儿？你可曾疑惑过
是否从头到尾都是个错误？事实上，
婚礼上一半的客人都这么说。

我要告诉你一件从未告诉过你的事儿：

那天晚上我服了一粒安定。

我一直在想从前我们怎样看电视，
我怎样把脚放到你的大腿上。那只猫
经常蹲在我的脚上。难道那不是
一幅幸福安逸的景象吗？那么
为什么不能持续更久呢？

因为那是一个梦。

奥蒂斯

一个美好的清晨；没有什么

在夜里死去。

赖茨一家正架起豆架帐篷[1]。

重生！复活！而隔着院子，

那么安静，有人在演奏奥蒂斯·雷丁[2]。

此刻，伟大的主题

再次一起到来：我二十三岁，乘着地铁

追随钱斯勒，追随我失去的爱，紧握着

我自己的唱片，因为我不得不听

这一个声音，无论我在哪儿下车，无论

谁的公寓——哪些公寓

那个夏天我拜访过？我完全不知道

---

[1] 豆架帐篷（bean tepee）：用几根木杆搭成圆锥形，供豆角等蔬菜攀爬，形似帐篷。

[2] 奥蒂斯·雷丁（Otis Ray Redding, Jr., 1941—1967）：美国灵魂乐歌手。

自己要去往何方，即将离开纽约，去

天堂生活，正如我那时候

对变化没有概念，丝毫没意识到将会发生什么，

对钱斯勒，对执着的内心需要，我的一个想法，

　也是

打动我的唯一的痛苦，是奥蒂斯的痛苦。

看，豆架帐篷

站立着：史蒂文

一出手就稳住了它们。

这会儿种下了种子，安娜

正坐在泥土里，包装盒开着口。

这是结束，不是吗？

而你又和我一起在这儿，和我一起倾听：大海

不再折磨我；我曾渴望成为的自己

就是现在的自己。

许愿

记得那次你许了愿吗?

　　我许过很多愿。

那次我对你撒了谎
关于蝴蝶。我一直想知道
你许愿要什么?

　　你认为我祈愿什么?

我不知道。祈愿我会回来,
祈愿我们不管如何最终将在一起。

　　我许愿要我一直祈愿要的。
　　我许愿要另一首诗。

礼物的寓言

我的朋友送给我

一棵梅红植物，对我

期望殷殷，在寒冷的四月

要我别把它

留在室外过夜，

深粉红色，在塑料

花篮里——我已经

害死了我的礼物，让

一片叶子间的花没有遮蔽，

错把它

当作自然的一部分，还有

它的许多茎：如今

我该怎么办，你

先前还活着，

昨夜还

模仿我的朋友，茂盛的叶子

像她蓬松的发

虽然那些叶子有

一种淡红色：我看到她

正在攀登石阶，在春天的暮色里

两手抱着那个

颤抖的礼物，

埃里克和达芙妮

紧紧跟在后面，每个

都披着一层莴苣叶：

那么多，那么多要在今晚

庆贺，仿佛她正说着

这儿就是世界，应该

足以让你快乐。

心的欲望

我想办两件事：
我想从娄伯家订些肉，
我想开一个派对。

你厌恶派对。你厌恶
任何四人以上的聚会。

如果我厌恶它
我就到楼上去。而且
我只邀请会烹饪的人。
好厨师和我所有的旧情人。
或许还有你以前的那些女朋友，除了
那个爱显摆的。

如果我是你，
我就开始订肉。

我们将在花园里布上驱虫灯。
当你仔细看人们的脸
你将发现他们是多么快乐。
有些在跳舞，也许
茉莉花戴在她的喜玛拉雅脚镯上。
当她变得疲倦，铃铛拖沓。

那时又将是春天：所有的
郁金香正在盛开。

重点并不是
客人们是否快乐。

重点是
他们还有没有感觉。

相信我：没有一个人
会再次被伤害。
那一夜，友情
将战胜激情。激情
将全都融入音乐。

如果你能听见音乐

你就能想象派对的情景。

我都已经计划好：首先

来一段狂暴的爱情，然后

来段柔和的。首先是《诺玛》[1]

然后，可能是赖茨一家的演奏。

---

[1] 诺玛（Norma）：意大利作曲家贝利尼歌剧作品，讲述罗马帝国时一个土
著族群的女领袖诺玛与手下一位女祭司一起爱上了族群的敌人罗马官，最
终一起自杀的故事。

新生

Vita Nova，1999

献给

凯瑟琳·戴维斯（Kathryn Davis）

凯伦·肯纳利（Karen Kennerly）

和埃伦·布莱恩特·伏侬特（Ellen Bryant Voigt）

献给

汤姆（Tom）和威拉·克雷侃普（Vera Kreilkamp）

主说你必须写你看到的。

但我看到的并没有让我感动。

主回答说改变你看到的。

新生

你救过我，你应该还记得我。

那一年的春天；年轻人正在买轮渡的船票。
笑声，因为空气里飘满了苹果花。[1]

那时我醒来，我意识到我也能拥有同样的感觉。

我记得从童年起就听到那样的声音。
笑声，没有缘由，只是因为这世界美丽，
诸如此类。

---

[1] 在第一首《新生》中，格丽克重访《返乡》一诗里的景象——苹果树决
定了她此后关于树的全部体验。这一次，格丽克一遍遍地凝视这个场景。她
的思绪时断时续，逐渐回到那棵苹果树的场景，带着新的观察。她将记忆与
眼前的场景相比较，疑惑自己的记忆是否正确。（James Longenbach. "Louise
Gluck's Nine Lives", *On Louise Glück: Change What You See*. 145）

卢加诺[1]。桌子在苹果树下。

水手们升起又降下各色彩旗。

在湖边，一个年轻人把他的帽子扔进水里；

多半是他的心上人接受了他的爱情吧。

关键的

声音或手势，像

在更大的主题前搁置的一小段乐曲

尔后废弃，湮没。

岛在远方。我的母亲

正捧出一盘小点心——

就我记忆所及，细节

丝毫没变，那一刻

生动，完好无损，还不曾

曝光，所以我醒来，兴高采烈，在我的年龄

渴望生活，绝对自信——

---

[1] 卢加诺（Lugano）：瑞士南方城市，位于卢加诺湖西岸，风景优美。

挨着桌子，几簇新草，淡绿色
融入眼前的暗色地面。

确实，春天已经回到我身边，这一次
不是作为爱人，而是作为死亡的信使，但
它仍然是春天，仍然要温柔地说起。[1]

---

[1] 对于格丽克，换句话说，正如对于 T.S. 艾略特——一位更真诚地沉浸于
但丁作品的二十世纪诗人——"四月是最残忍的月份"，正是因为"死寂的
土地"的再生搅动了记忆和欲望。凝神于"几簇新草，淡绿色／融入眼前的
暗色地面"，她挖掘自己矛盾情感的根部。"确实，春天已经回到我身边"，
她既兴奋又悲伤……其意义是对于必死性的承认——承认我们生活在时间
之内。（Sanddra M. Gilbert. "The Lamentation of the New", *On Louise Glück:
Change What You See*. 132, 145）

晨曲

世界很大。然后
世界变小。噢
很小，小得能够
装入大脑。

它没有颜色，它全部是
内在的空间：没有什么
进去或出来。但时间
还是渗透了进去，这
就是那悲剧的一面。

那些年，我把时间看得极其重要，
如果我现在记得准确的话。

一个房间，有一把椅子，一扇窗。
一扇小窗，填满了光线做成的图案。

在它的虚空里，世界

总是完整的，而不是
某物的一个碎片，有
自我在那中心。

而在自我的中心，
悲伤，我以为自己无法挺过去。

一个房间，有一张床，一张桌子。光
在裸露的表面上闪烁。

我曾有两个渴望：
渴望安全，渴望感受。似乎

世界正在做出
一个反对白色的决定
因为它鄙视可能性，
想用实在的事物来取代它：

窗格
金黄，在光线照到的地方。

在窗里，紫叶山毛榉的叶子
略带红色。

从停滞中，事实，物体
模糊或缠绕一起：某个地方

时间涌动，时间
正叫喊着要被触摸，要变得
明显可见，

磨光的木头
微光闪闪，纹路清晰——

而那时，我又一次
成为一个孩子，在丰饶面前
却不知道那丰饶由什么做成。[1]

---

[1]《晨曲》表达了对于物质世界之快乐的觉醒：对色彩、纹路和变化。黎
明之前，大脑里的世界是无色的，"它全部是 / 内在的空间"，不受侵害，除
了时间的渗透……随着光亮增加，物体逐渐地被描画，颜色变亮。而时间，
也充满了可延展、可变化的愿望……由成熟的意识所再次体验的神秘的丰
富性，等待着去探索；而这本诗集的部分目标，即是呈现于此种丰富性的
日益熟稔。（Joanne Feit Diehl. "From One World to Another: Voice in Vita Nova",
On Louise Glück: Change What You See. 152）

迦太基女王[1]

爱太残忍，

死更残忍。

为爱而死

残忍超过了正义的范围。

最后，狄多

召集了她的侍女

这样她们就会看到

命运女神为她书写的残酷结局。

---

[1] 迦太基女王：即狄多（Dido），传说中迦太基城的建立者。埃涅阿斯
（Aeneas），希腊神话中美神阿芙罗狄忒（对应罗马神话中的维纳斯）的儿
子，特洛伊英雄，在特洛伊城破后背父携子逃出，漂泊海外，历尽艰辛，
建立罗马城。埃涅阿斯在漂泊途中曾停留迦太基，与狄多坠入情网，后来
他听从使命的召唤而离去，狄多伤心自杀。埃涅阿斯去冥界探望亡父时遇
到狄多，请求她的原谅，但她一言不发地走开了。详见《埃涅阿斯纪》卷
一至卷六。

她说："埃涅阿斯

从波光闪闪的水上来到我身边；

我请求命运女神

允许他回报我的激情，

哪怕时间短暂。短暂与一生

有什么区别：事实上，在这些时刻，

它们都一样，都是永恒。

于是我获得巨大的馈赠

而我试图将它增加，延长。

埃涅阿斯从水上来到我身边：这个开头

让我变得盲目。

现在，迦太基的女王

将接受痛苦，一如她接受恩宠：

被命运女神关注

毕竟是一种殊荣。

或者应该说，保留荣耀过的渴望吧，

既然命运女神也凭此名而行。"[1]

_____

[1] 你的渴望就是你的命运。——作者解释

敞开的坟墓

我母亲制造了我的需要，
我父亲制造了我的良知。
对死者唯有赞美。[1]

所以，要让我说谎，
要让我自己仆倒
在坟墓的边上，
无疑将非常痛苦。

我对大地说
对我母亲仁慈些，
现在和以后。
用你的冷，保留
我们都曾嫉妒的美。

---

[1] 原文为拉丁文：De mortuis nil nisi bonum。

我曾变成一个老女人。

我也欢迎过

我曾如此畏惧的黑暗。

对死者唯有赞美。

习惯法 [1]

我们是怎样陷入爱情的，这令人好奇：

要说我的情况，彻底地陷入。彻底地，而且，唉，

　经常——

我年轻时候就是这样。

而且总是和相当孩子气的男人——

不成熟，忧郁，或是害羞地踢着枯叶：

巴兰钦 [2] 风格。

我也不曾看出他们是同一个家伙的变型。

而我，带着顽固的柏拉图主义，

我的偏执让我每次只看到一个家伙：

而否定了任意的一个家伙。

但仍然，我年轻时的那些错误

---

[1] 习惯法（unwritten law）：又译不成文法，与成文法相对，指以习惯为基础而获得合法地位的法律。

[2] 巴兰钦（George Balanchine，1904—1983）：俄裔美国芭蕾舞导演和舞蹈动作设计者。

让我毫无希望，因为它们反复出现，

习惯成自然。

但在你身上，我感到了某种超出原型的东西——

一种真实的豪爽，快活，爱这个世界，

完全与我性情相左。值得赞扬，

我许身于你，祈愿自己好运。

彻底地祈愿，以那些年一贯的风格。

而你，以你的智慧和残酷

一步步地教导我：那个词毫无意义。

燃烧的心

"……没有什么悲哀

会超过在痛苦中重温

幸福的回忆……" [1]

问她是否有什么后悔的事。

我曾被

许配给另一个人——

我与某个人生活在一起。

当你被触摸，你就忘记了这些事。

---

[1] 引自但丁《神曲·地狱篇》第五章弗兰齐斯嘉回答但丁的话。弗兰齐斯
嘉出身贵族，因政治婚姻而嫁给丑陋粗野的权贵丈夫简乔托，后与丈夫的
弟弟美少年保罗相爱，两人被简乔托杀死；但丁跟随维吉尔在地狱第二层
遇到弗兰齐斯嘉（和保罗）的灵魂，并与其对话。

问她他曾怎样触摸了她。

他的凝视触摸了我
在他的双手触摸我之前。

问她他曾怎样触摸了她。

我不曾索取任何东西；
一切都是给予的。

问她还记得什么。

我们被拖进了地狱。

我曾认为
我们所负的责任
仅仅限于
活下去的责任。那时
我是一个年轻女孩，极少屈服于指责：

然后就成了一个贱民。我是一天两天
改变了那么多吗？

如果我没有改变，难道我的行为
不符合那个年轻女孩的性格吗？

问她还记得什么。

我什么也没发现。我只发现
我在颤抖。

问她火是否会伤人。

我还记得
我们当初在一起。
而我逐渐地明白了
虽然我们两人都不曾挪动
但我们并不在一起，而是深深隔开。

问她火是否会伤人。

你希望永远与你的丈夫一起生活
在比这世界还要长久的火中。
我想那时这个愿望是当然的，
如今我们在这儿

既是火又是永恒。

你对你的生活感到后悔吗？

甚至在我被触摸之前，我已属于你；
你只需看着我。

罗马研究

最初他觉得

他的母亲应该是

阿芙罗狄忒，而非维纳斯，[1]

因为在希腊之后，

几乎没有什么功名可以成就。

他厌恶光亮，

而希腊人对此

拥有最大的份额。[2]

他诅咒他的母亲

（私下里，谨慎地），

---

[1] 阿芙罗狄忒（Aphrodite）是希腊神话中的爱与美的女神，维纳斯（Venus）是罗马神话中对应的女神。

[2] 希腊地处南欧，一年四季光亮充足，这也是许多人去希腊旅行的重要原因。

因为她本来可以把这一切都安排好。

后来发生的情况是：
当他审视这些反应，
最终从中辨认出
一种全新的思想类型，
更入世，更雄心勃勃
而富于策略，如今我们称为
人类的术语。

他想得越久，
就越体会到
对希腊人的些微轻蔑，
对他们的严峻，甚至伟大悲剧的
怪诞的平衡——
先是惊心动魄，然后
能模糊地预测到，落入俗套。

他想得越久，
就越明白还有多少
需要去经历，
去写下，一个物质的世界，此前

几乎不曾荣耀过。

正是在这种推理中，他认识到
他自己警惕本性的
范围和轨道。[1]

---

[1] 一种更具反思与内省的敏感属于格丽克的埃涅阿斯，他最初痛恨生得太迟，后来这一想法让位于"对希腊人的些微轻蔑"……随着态度上的转变，他偶然地意识到那些需要他去成就的……聚精会神于"一个物质的世界，此前 / 几乎不曾荣耀过"，开始了埃涅阿斯的新生命。（Joanne Feit Deihl, 155）

新生活[1]

我曾睡着正派者的睡眠，

稍后是未出生者的睡眠——

他身负许多罪

到这个世界上。

而这些罪是什么

起初并没有人知道。

只是在许多年之后才知道。

只是在漫长的生活之后才准备好

去理解这个方程式。

如今我开始认识到

我灵魂的本性，这灵魂

作为惩罚我栖息其中。

不可改变，哪怕在饥饿中。

---

[1] 标题原文"The New Life"，是这本诗集第一首和最后一首诗题《新生》
"Vita Nova"（拉丁语）的英译。

我曾在我的他生里 [1]

太匆忙，太急切，

我的匆忙是这世上痛苦的一个根源。

虚张声势，正如一个暴君虚张声势；

为我全部的多情，

心底的冷酷，以浅薄者的方式。

我曾睡着正派者的睡眠；

我曾过着罪犯的生活

慢慢地偿还着一笔不可能的债。

而我死去，已经偿还了

一种残忍。[2]

---

[1] 在下一首诗《乳酪》的最后一节，有类似的说法："此前我有过许多次
生命。"

[2] 诗集《新生》中有多首诗作表达说话者苏醒的感觉。说话者回忆起其
似乎尚未出生的感觉。在《新生活》一诗中，她谈及罪、发作，以及由于
某种未指明的罪（我怀疑是幸存下来本身这一罪）而从物质世界里流放。
（Daniel Morris, 122）

乳酪[1]

世界

曾经是完整的，因为

它已破碎。当它破碎了，

我们才知道它原来的样子。

它从未治愈自己。

但在深深的裂缝里，更小的世界出现了：

人类创造了它们，这是件好事；

人类了解它们需要什么，

比神更了解。

在休伦大道，它们变成

一片商店；它们变成

"鱼贩子"，"乳酪"。无论

---

[1] 海丽花店包括三个独立的店铺，分别卖鲜花、乳酪和鱼，三者构成了一个完整的小世界。"乳酪"一词在《鸟巢》一诗中再次出现。——作者解释

它们是什么或卖什么，它们

作用相同：它们

是安全的幻象。像

一个静止的地方。那些店员

像父母亲一样；它们似乎

生活在那儿。总的说来，

比父母亲还慈祥。

许多支流

流进一条大河：我有

许多生命。在这个暂时的世界上，

我站在果实所在的地方，

一箱箱的樱桃、柑橘，

在"海丽花店"的花束下。

我有许多生命。注入

一条河流，河流

注入一片大海。如果自我

变得无形，它就消失了吗？

我成长。我活着

并不完全孤独，孤独

但不完全，陌生人

在我周围涌动。

这即是大海之所是：

我们在隐秘中存在。

此前我有过许多次生命，一簇花朵

各有花茎：它们成为

一件事物，被一条丝带从中间扎起，丝带

显现在手的下面。手的上面，

是枝条舒展的未来，花茎

止于花朵。还有紧握的拳头——

那应是当下的自我。

对死亡的恐惧 [1]

你为什么恐惧?

一个戴礼帽的男人从卧室的窗下走过。
当时我不可能
超过四岁。

那是个梦:我看见他
那时我站在高处,我在那儿
应该不受他的威胁。

如今你记得你的童年吗?

当那个梦结束
恐惧依旧。我躺在我的床上——

[1] 出自拉丁语谚语,"对死亡的恐惧让我烦忧"(Timor mortis conturbat me)。

也许是婴儿床。

我曾梦见我被拐骗。那意味着
我知道爱是什么，
它怎样把灵魂置于危险中。
我知道。我替代了我的身体。

但你那时是人质吗？

我曾恐惧爱，恐惧被带走。
每个恐惧爱的人都恐惧死亡。

我假装不在乎
甚至在爱的面前，在饥饿面前。
而我感受越深，
越无法回应。

如今你记得你的童年吗？

我曾理解：这些礼物的分量
被我拒绝的范围所抵消。

如今你记得你的童年吗？

我曾躺在森林里。
沉静，静过任何活着的生命。
注视着太阳升起。

我记得有一次母亲在盛怒中转过脸去
不理我。或许那是悲伤。
因为对她给予我的一切，
对她全部的爱，我不曾表露感激。
我不曾有过任何理解的表示。

这件事我一直没有被原谅。

鲁特琴之歌

没有一个人想成为缪斯；

最终，每个人都想成为俄耳甫斯[1]。

英勇地重现

（出于恐惧和痛苦）

然后，美丽至极；

最后，复原的

不是欧律狄刻，被哀悼的那个，

而是充满激情的

俄耳甫斯的灵魂，浮现

[1] 俄耳甫斯（Orpheus）：阿波罗之子，擅弹竖琴，以凄美歌声打动了冥王哈得斯的铁石心肠，将丧命的妻子欧律狄刻带回人间，但是在漫长的路途将近结束时，他禁不住回头，违背了冥王的要求，于是欧律狄刻又被带回冥界。俄耳甫斯后来在色雷斯被酒神的狂女杀害。

不是作为血肉之人，而是
呈现为纯粹的灵魂，
超脱，永生，
通过乖张的自恋。

我用灾难做一把竖琴
永存我最后的爱情之美。
但我的悲痛，虽然不过尔尔，
仍然挣扎着去获取形式

和我的梦想，如果我坦率地说，
主要的不是渴望被记住
而是渴望活下去——
我相信，这才是人类最深的渴望。

俄耳甫斯

"我失去了我的欧律狄刻……"[1]

我失去了我的欧律狄刻，

我失去了我的爱人，

突然间，我就在讲法语，

似乎我的嗓音也前所未有地好；

似乎这些歌曲

属于一种更高的秩序。

似乎一个人被莫名地期待着去道歉

就因为是艺术家，

似乎注意这些细微处，就不再是彻底的人性。

而谁知道，也许众神在地狱里从没有对我说，

从没有把我挑出来，

---

[1] 原文为法语。

251

也许这一切都是幻觉。

噢欧律狄刻，你因我的歌唱而与我结婚，

为什么你要转向我，渴求人间的安慰？

谁知道你再次看到复仇女神时

会告诉她们些什么。

告诉她们我失去了我的爱人；

如今我是完全地孤独。

告诉她们：没有真正的悲痛

就没有这样的音乐。[1]

在地狱，我曾对她们歌唱；她们会记得我。

---

[1] 正如但丁的《新生》，格丽克把"真正的悲痛"作为"更高秩序的音乐"的一个前提。（Daniel Morris, 120 ）

降临山谷

我曾发现向上攀登的那些年
多么艰难，充满焦虑。
我并不怀疑自己的能力：
相反，当我向它靠近，
我害怕未来，我觉察到的
它的景象。我看到
一种人类生活的景象：
这一面，总是向上，向前
进入光明；另一面，
向下，掉入不确定的迷雾。
所有的热切都被知识削弱。

如今我发现，情况并非如此。
那顶峰的光明，那光明曾经是，
从理论上说，是攀登的目标，
结果却抽象得令人痛苦：

我的头脑，在它的上升中，
完全沉浸于细节，从没有
觉察到形状；我的眼睛
不安地盯着立足之处。

如今我的生活多么甜美
在向山谷的下降之中，
山谷本身并没有迷雾笼罩，
而是丰饶，宁静。
所以我第一次发现自己
能看前面，能看着这世界，
甚至能向它靠近。

外衣

我的灵魂干涸。
像一颗灵魂被抛入火中，只是不完全，
不至于毁灭。焦干，
它继续。易碎，
不是由于孤独，而是由于猜疑——
暴力的后果。

精神，被邀请离开身体，
站立片刻，暴露在外，
颤抖着，正如从前
你到神的面前——
精神，从孤独中
被宽恕的诺言引诱出来，
你怎么竟然又相信
另一个生命的爱？

我的灵魂枯萎、缩小。

身体于它就成了一件太大的衣裳。

而当希望被归还给我时

它全然是另一个希望。

公寓

我曾住在树上。那个梦指定了
松树，似乎它认为我需要提醒
才能保持悲恸。我恨
当你自己的梦把你当作傻子。

里面，是二十年前
我在普林菲尔德[1]的公寓，
除了我增加了一个商用灶炉。
根深蒂固的

对第二层的热情！仅仅因为
过去比未来更长
并不意味着没有未来。

---

[1] 普林菲尔德（Plainfield）：格丽克在随笔《睡梦者与观察者》里提到，
1980 年 4 月她的房子被火烧毁，5 月份搬到了普林菲尔德居住。

257

那个梦让他们困惑，把一个
误作另一个：反复的

断壁残垣的场景——维拉曾在那儿，
谈论着光。
当然，有许多光，因为
没有墙壁。

我在想：这儿是以前放床的地方，
这儿是在普林菲尔德。
深深的宁静浸透我的周身，
正如当世界无法触到你时，你的感觉。
越过那张无形的床，
夏末的光亮，在小街上，
在摇曳的灰树间。

那梦所改变的，你可以说，正在增加
希望的一面。那是
一个美丽的梦，我的生活卑微而甜蜜，世界
因为遥远而广阔可见。

那梦让我看到，怎样凭着不受它伤害

而再次将它拥有。它让我看到
当睡在我的旧床上，最早的星星
透过稀疏的灰树，闪烁。

我已经上车，被带到远方
进入一个明亮的城市。而这是意味着
鄙视吗？或者这仍在梦中？
我选择抵抗地面是对的，
不是吗？

永生之爱

像一扇门
身体打开，
灵魂向外张望。
最初是胆怯地，后来
不再那么胆怯，
直到它安全了。
后来它在渴望中开始冒险。
后来在无耻的渴望中，
后来在任何欲望
邀请之下。

随意的人，如今你将怎样
发现神？你将怎样
探知那神圣的？
甚至在花园里你被告知
要活在身体内，而不是

身体外，在身体内遭受磨难
如果来得必要的话。
神怎么能发现你
如果你从不在一个地方
足够长久，从不
在他给你的那个家里？

或者你是相信
你没有家，既然神
从来无意容纳你？

俗世之爱

时代的习俗
把他们结合在一起。
那段时期
（漫长）
曾经自由给予的心
被要求，作为一种正式的姿态，
放弃自由：一种献祭
立刻运行并被绝望地注定。

至于我们自己：
幸运地，我们逸出了
这些要求，
正如我的生活破碎时
我提醒自己的那样。
所以我们曾如此长久地拥有的

都是，或多或少，

脆弱的，活生生的。

而只是长久之后

我才开始不这么认为。

我们都是人——

我们竭尽所能

保护自己

甚至到了否定

清晰性的地步，自我欺骗的

地步。正如在

我提到的那种献祭之中。

然而，在这种欺骗中，

真实的幸福产生了。

所以我相信我会

精确地重复这些错误。

似乎对我来说，

知道这种幸福

是否建立在幻觉之上

并非至关重要：

它有它自己的真实。

两种情况下，它都将结束。

欧律狄刻

欧律狄刻又回到地狱。

困难的

是这次旅程，

到达时，已被忘记。

转换

是困难的。

而在两个世界之间往返

尤其如此；

紧张超乎寻常。

这段路程

充满悔恨，充满渴望，

我们在这个世界上，也有

少许的理解或记忆。

只要片刻
当那冥界的黑暗
又在她周围密布
（轻柔，恭敬），
只要片刻，就可以
一个世间美人的形象
又回到她身上，美丽
那是她为之悲伤的。

但要忍受人类的不忠
是另一回事情。

卡斯提尔[1]

橙子花[2]在卡斯提尔上空随风起舞

孩子们在乞讨硬币

我曾经遇到我爱的人,在橙子树下

难道那是金合欢树

难道他不是我爱的人?

我曾经读着这些,也曾经梦见这些:

现在醒着,就能唤回曾发生在我身上的事吗?

圣米格尔岛的钟声

在远方回响

他的头发在暗影中金黄略白

---

[1] 卡斯提尔(Castile):位于伊比利亚半岛的一个古代王国。

[2] 橙子花(orange-blossom):通常为白色,欧洲人婚礼中常用作新娘的捧
花及头饰,象征纯真及爱情永固。

我曾经梦见这些,

就意味着它不曾发生过吗?

必须在这世界上发生过,才成为真实吗?

我曾经梦见一切,这个故事

就成了我的故事:

那时他躺在我身边,

我的手轻抚他肩膀的肌肤

中午,然后是傍晚:

远方,火车的声音

但这些并非就是这个世界:

在这个世界上,一件事最终地、绝对地发生,

心灵也不能将它扭转。

卡斯提尔:修女们两个两个地走过黑暗的花园。

在圣天使教堂的围墙外

孩子们在乞讨硬币

如果我醒来,还在哭泣,

难道这就没有真实？

我曾经遇到我爱的人，在橙子树下：
我已忘记的
只是这些事实，而不是那个推论——
在某个地方，有孩子们在叫喊，在乞讨硬币

我曾梦见一切，我曾恣意沉迷
完全地，永远地

而那列火车把我们带回
先到马德里
再到巴斯克[1]乡村

---

[1] 巴斯克（Basque）：位于比利牛斯山脉西部的西班牙和法国边境一带地区。

无常的世界

你被治愈了吗？或者你只是认为自己被治愈了？

我曾告诉自己
从一无所有之中
没有什么能被拿去。

但你还能爱任何人吗？

当我感到安全，我就能爱。

但你会触摸任何人吗？

我曾告诉自己
如果我一无所有
这世界就不能触摸我。

在浴盆里，我检查自己的身体。
我们被期待这样做。

和你的脸吗？
镜中的你的脸？

我曾充满警惕：当我触摸自己
我什么也感觉不到。

那么你安全吗？

我从来都不安全，即使我藏得最严的时候。
即使那时我正在等待。

所以你不能保护你自己吗？

那绝对的
在腐蚀；围绕着自我的
边界，墙壁，在腐蚀。
如果那时我在等待，我就已经
被时间侵入。

但你认为如今你自由吗？

我认为我认出了我本性的类型。

但你认为如今你自由吗？

我曾一无所有
而我仍然被改变。
像一套衣服，我的麻木
被拿去了。然后
加上了渴望。

飞马

这是我的马儿"抽象",

银白,书页的颜色,

未写的书页。

来吧,"抽象",

凭借出自恶魔般野心的意志:

把我悄然带到那永生之地。

我已厌倦其他坐骑,

它们借助来自现实的直觉,

尘土的颜色,失望的颜色;

更无论

那伴随着他的马鞍

和青铜的马刺,那一丁点

牢不可破的金属。

我厌倦这世界的赠予，这世界的
规定的极限。

我厌倦遭人反对
也厌倦经常遭遇物质的抵制，正如遭遇
一面大墙，我所说的一切
都可以在那儿检验。

那么来吧，"抽象"，
把我带到你曾带了那么多人去的地方，
远远离开这儿，到那虚空的，星的草原。

快快带上我，
出自盲目希望的"梦想"。

世俗的恐惧

我曾站在一座繁华城市的门口。
我有众神要求的一切；
我已预备好；准备的重负
曾持续了很久。
而这个时刻是恰当的时刻，
指定给我的时刻。

为什么你害怕？

这个时刻是恰当的时刻；
回答必须预备好。
在我唇边，
颤抖的词语，正是

需要的词语。颤抖的——

而我知道，如果我不能

回答得足够快，我就会被拒于门外。

金枝 [1]

甚至爱情女神

也为孩子们而战，尽管

她虚荣。超过了其他英雄，

埃涅阿斯繁盛了；甚至从地狱返回人间的路

也变得简单。而爱的牺牲

也比其他英雄少了痛苦。

他头脑清晰：甚至当他忍受牺牲时，

他已看到实用的目的。他头脑清晰，

在这种清晰中，坚定地克服绝望，

甚至当悲伤使一颗心变得像凡人——

这在其他情况下似乎是恒久不易之事。而美

在他的血管里奔流：他对此

---

[1] 金枝（the golden bough）：详见《埃涅阿斯纪》卷六。埃涅阿斯欲往冥界会见亡父，先知西比尔告诉他：冥界大门昼夜敞开，进去容易但返回人间难；欲往冥界，必先摘取金枝。埃涅阿斯顺利摘得金枝，随西比尔游遍冥界，见到亡父，心中重新燃起追求荣耀的欲望，然后从象牙门返回人间。

没有更多需求。他为了其他幻想

而放弃艺术与科学的世界，那些小径只能

通向折磨。相反，他聚集起

大地上的各色人等

进入一个帝国，一种

通过降服而来的正义概念，一种"宽恕卑微者，

征服高傲者"[1] 的计划：主观的，

必然地，正如判断必然如此。

美在他的血管里奔流；他对此没有更多需求。

这，和他关于帝国的爱好：

这些可以被证实。

---

[1]《埃涅阿斯纪》卷六讲埃涅阿斯在冥界见到亡父，后者提醒他："对臣服的人要宽大，对傲慢的人要通过战争征服他们。"

夜祷

我相信我的罪
完全是平常之事：
求助
掩盖了争宠
而请求怜悯
悄然掩饰着抱怨。

春夜里如此难得内心的平静，
我祈祷力量，祈祷指引，
但我也要求
从病中康复
（当下的这个）——从不在意
未来的任何事。
我把这当作一个专门事项，
这种对未来的漠不关心，
也是一种勇气：届时我将已经拥有它

来独自面对我的痛苦，
但以更高的坚韧。

今夜，在不快乐中，
我疑惑在那个倾听者的心里
这构成什么品质。
当微风吹动
那棵小桦树的叶子，
我构想一个形象
完全可疑且完全柔弱，
因此无法成为惊奇。

我相信我的罪是平常事，因此
是有意的；我能感到
树叶抖动，有时
伴着词语，有时没有，
似乎怜悯的最高形式
可能是讽刺。

就寝时间，他们低语。
躺下的时间到了。

废墟

我将会在哪里？如果没有我的悲伤，
我心爱的人制作的悲伤，
没有了他的某种象征，这一支
传诸久远的天才歌曲。

你怎么能渴望死亡
当俄耳甫斯还在歌唱？
长久的死亡；去地狱的一路上
我听到他的歌唱。

大地的折磨
死亡之激情的折磨——

我觉得有时候
对我们要求得太多；
我觉得有时候

我们的安慰是代价最大的东西。

去地狱的一路上
我听到我丈夫在歌唱，
很像你现在听到我一样。
也许那样好一些，
我的爱在我头脑里生气勃勃
即使在死亡的那一刻。

不是最初的应答——
那是恐惧——
但是最后的。

鸟巢

一只鸟正在筑巢。

在梦中，我仔细地注视着它；

在生活中，我正尽力成为

证人，而非理论家。

你的起始之地并不能决定

你的结束之地：那只鸟

捡起它在院子里所发现的，

它的基础材料，紧张地

扫瞄着这光光的早春时节的院子；

在靠南墙的碎屑里，它用喙

推着几根细枝。

孤独的

形象：小生命

一无所有而来。然后
枯枝。一根根地，搬运
这些树枝到僻静处。
这是那时它正做的一切。

它带走那儿有的：
能用的材料。精神
是不够的。

然后它编织，像当初的珀涅罗珀
但向着一个不同的目标。
它怎么编织的？它编织着，
细致但无望地，那几根
有点儿柔软、弹性的细枝，
挑出来放在易断的、干硬的上面。

春初，冬末。
那只鸟绕着光光的院子，正
靠着那儿仅有的东西
努力生存下去。

它有它的任务：

想象未来。平稳地飞来飞去，
耐心地携着小树枝，到树上
隐蔽之处，而树暴露在
外面世界的严寒中。

我没有什么东西用来建造。
正是冬天：我无法想象什么，
除了过去。我甚至无法想象
过去，如果说到过去。

我不知道我怎么到了这里。
其他人都在很远的地方。
我又回到了开始
在我们生命中想不起开始之时。

那只鸟
在那棵苹果树上收集树枝，把每次增加
都和已有的一堆联系起来。
但什么时候，那儿突然有了一堆？

它啄来它发现的东西，在别的鸟
结束之后。

同样的材料——为什么最终完成

这么重要？同样的材料，同样

有限的善。深色的细枝，

断裂的，落下的。而连在一起，

黄色毛线一样长。

然后就是春天，我莫名其妙地快乐。

我知道我在哪儿：在百老汇，带着杂物袋。

商店里春天的水果："乳酪"[1]

最早的樱桃。连翘

吐蕊。

首先我平静。

然后我知足，满意。

然后阵阵喜悦。

而季节已变——对我们所有人，

当然。

而当我向外凝望，我的头脑变得敏锐。

而我准确地忆起

---

[1] "乳酪"：指海丽花店，参见《乳酪》一诗的注释。

我回应的顺序，

我的眼睛盯着来自

自我隐匿之处的每样事物：

首先，我爱它。

然后，我能用它。

埃尔斯沃思大道

　　春天
降临。或者应该说
上升？应该说升起？
在巴特勒家，
金缕梅盛开。

那么，应该已经是
二月底了。

淡
黄色，新一年的，
稚嫩的颜色。冰的光泽
在黯淡的地面上。

我想：现在停，意思是
在这儿停。

是说我的生活。

那一年的春天：黄
绿色的连翘，那是国会下院
与新草一同种下的——

新的
总是被保护，新事物
被给予清晰的保护，它金属的
树名标牌，挨着
白绳子。

因为我们希望它成活，
一片淡绿
镶裹着现在的暗色形状。

冬末的
太阳。或者春天的？
春天的太阳
这么早？被浓密的连翘
遮蔽。我的目光
一直进入它的内部，或几乎进入——

街道对面，一个小男孩

把他的帽子往天上扔：新的

总是在上升，新鲜的

不稳定的颜色在攀爬，上升，

蓝色和金色

交替：

埃尔斯沃思大道。

一个带纹的

人类头脑的抽象概念

在干枯的灌木上欢欣鼓舞。

　　春天

降临。或者应该说

再次升起？或者应该说

破土而出？

地狱

你为什么要搬走?

我活着从大火里走出来;
这怎么可能?

有多少已经失去?

一无所失:一切
都被烧毁。毁灭
是行动的结果。

有过一场真正的大火吗?

我记得回到那间屋子,二十年前,
试图保留能保留的东西。
瓷器之类。烟熏的味道

在每样东西上。

在梦中，我搭起一个火葬的柴堆。
为我自己，你明白。
我想我已经受够了。

我想这是我身体的终结：火
对欲望似乎是正确的结果；
它们是同一样东西。

然而你那时没有死？

那是一个梦：我想我正在回家。
我记得我告诉自己
那没有什么用；我记得我想着
我的灵魂太顽固，不能死。
我想灵魂和意识一样——
大概每个人都这样想。

你为什么要搬走？

我醒来，在另一个世界里：

就那么简单。

你为什么要搬走？

这世界已经改变。我从那场大火里出来
进入一个不同的世界——也许
是死者的世界，就我所知。
不是需要的目的，而是需要本身
恢复了最高的力。

发作

你救过我，你应该还记得我。

你到我身边；两次
我在花园里看到你。
当我醒来，我是在地上。

我不再知道我是谁；
我不知道树是什么。

两次，在花园里；许多次
在那之前。为什么要
不为人知？

覆盆子长得茂密；
我不曾给它们修剪，我也不曾拔草。

我不知道我在哪里。

只知道：有一堆火在我近旁——不，

在我上空。远处，

河流的声音。

那正在流逝的，从来不是焦点，

它是意义。

有一只王冠，

一个圆环，在我头上。

我的手上沾满泥土，

但不是由于劳作。

我干吗要说谎：说那生活

如今已经结束。

我为什么不该使用

我所知道的？

你改变了我，你应该还记得我。

我还记得我曾出门

在花园里散步。像从前走进

城市的街道，走进
那第一个公寓的卧室。

是的，我那时独自一人；
我怎能不孤独？

侦探小说

我变成了光的生灵。

我坐在加利福尼亚一条车道上；

玫瑰是消防栓的颜色；一个婴儿

骑着一辆黄色小车远去，一边发出

像鱼儿吐泡泡一样的声音。

我坐在折叠椅上

读尼罗·沃尔夫[1]，第二十次，

一部侦探小说，已经变得愉悦。

我知道谁是无辜的；我已经学到了几分

大师的才能，在他灵活的头脑中

时间沿两个方向运动：向后

从行动到动机，

向前到公正的决断。

---

[1] 尼罗·沃尔夫（Nero Wolfe）：美国侦探小说家雷克斯·施托特（Rex Stout）笔下的神奇侦探，身胖，好久坐，人称"安乐椅神探"。

无畏的心，再不会颤抖：
唯一的阴影来自那狭窄的手掌——
它不能将你完全围住。
不像东边的阴影。

我的生活带我到过许多地方，
其中许多地方非常黑暗。
它带着我，不顾我的意愿，
从后面推动我，
从一个世界到另一个世界，像
那个鱼儿一样的孩子。
一切都是全然的武断，
没有能辨别的模式。

那充满激情的威胁和疑问，
那对正义的古老的追寻，
一定是全被欺骗了。

但我仍然看到迷人的事物。
我最终变得可说是容光焕发；
我到处带着我的书，

像个渴求的学生

迷恋着这些简单的侦探故事

所以我自己内心可能会压制

那最后的指责：

你是谁？你的目的是什么？

哀悼

一件可怕的事正在发生——我的爱
又奄奄一息，我的爱它已经死了：
死了，被哀悼。而音乐继续，
分离的音乐：树木
变成了乐器。

大地多么残忍，柳树微微闪亮，
桦树弯着腰，叹息。
多么残忍，多么彻底的柔弱。

我的爱奄奄一息；我的爱
不只是一个人，还是一个想法，一种生活。

我将为什么而活？
我在哪儿能再找到他
如果不在悲痛里，不在

制作鲁特琴的黑暗树林里。

在这世上作别，
一次就已足够。一次就已足够。
当然，悲痛也是这样。
永远作别，一次就已足够。

柳树在石泉边微微闪亮，
紧靠花径。

一次就已足够：为什么现在他又活着？
如此短暂，而且只在梦中。

我的爱奄奄一息；离别又已开始。
而透过柳树的面纱，
阳光上升、灼热，
不是我们熟悉的那种光。
而鸟儿又在歌唱，甚至那只悲伤的鸽子。

啊，我已经唱了这支歌。在石泉边，
柳树又在歌唱
用无法言说的温柔，拂动树叶

在灿烂的水面上。

他们清楚地知道，他们知道。他又奄奄一息，
世界也是这样。我的余生奄奄一息，
我相信是这样。

新生

在离婚之梦中

我们正在争执：谁来拥有

这只小狗，

"暴风雪"。你告诉我

这个名字是什么意思。他是

某种毛茸茸的庞然大物

和一只腊肠犬

杂交的品种。这必须是

雄性和雌性的

生殖器吗？可怜的"暴风雪"，

为什么他是一只狗？他几乎都不碰

他的狗食碟子里的鹰嘴豆泥[1]。

然后还有别的什么，

一个声音。像

---

[1] 鹰嘴豆泥（hummus）：一种源自中东的食物，原料为鹰嘴豆、芝麻、橄榄油、柠檬和大蒜。

砾石被移动。或是砂粒？

时间的砂粒？然后就是

艾里卡带着她的沙球，

像时间的砂粒

被人格化了。谁来

把这一切解释

给小狗？"暴风雪"，

爹地需要你；爹地的心空落落的，

不是因为他要离开妈咪，而是因为

他想要的那种爱

妈咪没有，妈咪的

太多嘲讽——妈咪不愿意

在车道上跳伦巴。是否

这样就有错。假设

我是这只小狗，就像在

我童年时的自我之中，极其伤心，因为

完全不会说话？还有

厌食症！噢，"暴风雪"，

做一只勇敢的狗——这些

都是物质的；你醒来时

将在一个不同的世界，

你将继续吃，你将长大，成为一个诗人！

生活怪诞不经，无论它怎样结束，

总是充满了梦想。我永远

忘不了你的面孔，你狂乱的人类的眼睛

涨满泪水。

我想我的生活已经结束，我的心已经破碎。

于是我搬到了剑桥。

七个时期

The Seven Ages，2001

献给诺亚（Noah）和特雷日（Tereze）

你这泥土，你说话呀！

——《暴风雨》[1]

---

[1] 引自莎士比亚戏剧《暴风雨》第一幕第二场中普罗斯彼罗对卡力班说的话："喂！贱奴！卡力班！你这泥土，你说话呀！"（梁实秋译）

七个时期

在我第一个梦里，世界出现了
咸的，苦的，被禁止的，甜蜜的
在我第二个梦里，我堕落了

我曾是人，我不能仅仅看到一件事物
但我现在是野兽

我曾不得不去碰触，去包容它

我在小树林里藏身，
我在田野里劳作，直到田野裸露——

时间
它永不再来——
捆扎的干麦子，一箱箱
无花果和橄榄

我甚至爱过几次，以我厌恶的人类方式

像每个人一样，我称这种成就
性爱的自由，
如今显得荒谬

麦子收割，储藏，最后的
果实变干：时间

那被储藏的，那从未使用的，
是否也要结束？

在我第一个梦里，世界出现了
甜蜜的，被禁止的
但并没有花园，只有
自然万物

我是人：
我不得不乞求堕落

咸的，苦的，需求，争先恐后

像每个人，我掠夺，我被掠夺

我梦见

我被出卖：

在梦中，大地被赐予我

在梦中我拥有它

月光

薄雾升起，带着一点声音。像砰的一声。
那是心跳。太阳升起，略显冲淡。
似乎是许多年之后，它再次下沉
而暮色泼洒海岸，在那儿变浓。
恋人们不知从何处赶来了，
这些人仍然有身体和心脏。仍然有
胳膊、腿、嘴巴，虽然到白天他们可能又成了
主妇和商人。

这同一个夜晚也产生了像我们这样的人。
你像我一样，不管你是否承认。
不满足，极其细心。你所渴望的是理解能力
而非经验，似乎在抽象意义上它可能被玩弄。

然后又是白天，世界恢复常态。
恋人们抚平头发；月亮继续它空洞的存在。

海滩又将属于神秘的鸟儿——
很快它们将出现在邮票上。

但我们的记忆，那些依赖于形象的人们的记忆，
　将会怎样？
难道它们就毫无意义？

薄雾升起，收回爱的证据。
失去了这些，我们只剩下镜子，你和我。

感官的世界

隔着一条可怕的河流或裂缝，我向你呼喊
警告你，让你有所准备。

世界将引诱你，慢慢地，不知不觉地，
巧妙地，更不用说是默许。

那时我没有准备好；我站在奶奶的厨房里，
端出我的玻璃杯。炖李子，炖杏子——

果汁倒入放了冰的玻璃杯。
再加水，耐心地，一点一点地，

每加一次
众多堂兄弟堂姊妹都要判断，品尝——

夏季水果的芳香，极度浓缩：

彩色液体渐渐变得更亮，更灿烂，

更多的光透过来。
快乐，安慰。奶奶等着，

想看看是否需要更多。安慰，深深沉浸。
我的最爱：感官生活的深层隐秘，

自我消失其中，或无法区分开来，
莫名被搁置，飘浮，它的需要

充分暴露，苏醒，生机勃勃——
深深沉浸，以及随之而来的

神秘的安全。远处，水果在玻璃盘里发亮。
厨房外，夕阳西下。

那时我没有准备：夕阳，夏天结束。展示
时间是一个连续体，是某种事物即将结束，

而非搁置；感觉也不能保护我。
我警告你，因为从没有人警告过我：

你将永不放手，你将永不满足。
你将受伤、留下伤疤，你将继续饥渴。

你的身体将衰老，你将继续需要。
你会想要这世间，从这世间取得更多——

庄严，淡漠，它到场，但不回应。
它环绕着，它并不照拂。

意味着，它将喂养你，将让你着迷，
但不会保证你活着。

母亲与孩子

我们都是做梦的人；我们不知道我们是谁。

某个机器制造了我们；世界的机器，日益变小的
家庭。
然后回到这个世界，因轻柔的鞭打而完美。

我们做梦；我们记不起来。

家庭的机器；深色软毛，母亲身体的森林。
母亲的机器：她内部的白色城市。

而那以前：大地和水。
石头间的苔藓，几片树叶和草。

而以前，巨大黑暗中的细胞。
而那以前，被遮掩的世界。

这就是为什么你被生下：让我缄默。
母亲和父亲的细胞，轮到了你
成为关键，成为杰作。

我即兴而作；我从未记起。
如今轮到你被驱赶；
你要求知晓：

我为什么受苦？为什么无知？
巨大黑暗中的细胞。某个机器制造了我们；
轮到了你对它讲话，继续问
我是为何？我是为何？

寓言

我们每个人都有一串愿望。
数目不断改变。我们所愿望的——
也跟着改变。因为
我们所有人都有这类不同的梦想。

这些愿望各不相同，这些希望各不相同。
还有那些不幸和灾难，也总是不同。

它们巨浪滚滚离开大地，
甚至总被浪费的那一个。

绝望之浪，无望的渴望与心痛之浪。
神秘而狂野的青春饥渴之浪，童年的梦想之浪。
细微的，急迫的；一度是，无私的。

各不相同，当然，除了

想要返回的愿望。不可避免地

最后或最先，重复

　一遍一遍——

所以回声萦绕。而那个愿望

抓住我们，折磨我们

虽然我们知道在我们自己的身体里

它从未被准许。

我们知道，而在暗夜里，我们对此认可。

那时，夜又变得多么甜美，

一旦那个愿望放开我们，

又是多么寂静。

夏至日

每年，在这同一天，夏至日到来。
完美的光亮：我们为此计划，
这一天我们告诉自己
时间真的很长，近乎无限。
在我们的阅读和写作中，总偏爱
欢庆的、狂喜的。

在这些仪式里有好奇之外的某种东西：
还有种沾沾自喜，
仿佛人类的天赋参与了这些安排
而我们发现结果令人满意。

随光亮一起但先于它出现的：
平衡的时刻，和黑暗相等的时刻。

但今晚我们在花园里，坐在帆布椅上

夜这么深了——

为什么我们要瞻望或回顾？

为什么我们要被迫去回忆：

它在我们的血里，这种知识。

白日的短暂；冬天的黑暗，寒冷。

它在我们的血里，骨里；它在我们的历史里。

除非天才人物才能忘记这些事情。

星

我醒着，我在这世界上——
我不期待
更多的保证。
不期待保护，诺言。

夜空的慰藉，
几乎不动的
钟的面孔。

我孤单一人——我全部的
财富都在我身边。
我有一张床，一个房间。
我有一张床，床边
有一瓶花。
还有一盏夜灯，一本书。

我醒着；我安全。

黑暗像一面盾，许多梦

熄灭，也许

永远消失。

而白天——

那不满足的早晨，它说

我是你的未来，

这是你的货物，悲伤：

你拒收我吗？你是说

要把我送走，因为我不是

满的，用你的话说，

因为你看到

那黑影已隐约可见？

我永远不会被放逐。我是光，

是你个人的痛苦和羞辱。

你敢

把我送走，就仿佛

你正等待某种更好的东西？

没有更好的。

只有（小空间里）

那夜空，像

一种隔离，把你

和你的任务分开。

只有（轻柔的，激烈的）

星星闪亮。这儿，

在这房间，这卧室。

正说着：我勇敢，我抵抗，

我把自己置于火上。

青春

姐姐和我在沙发两头，

读着（我想是）英国小说。

电视机开着；各种课本翻开，

有些地方用横格纸做了标志。

欧几里得、毕达哥拉斯。仿佛我们研究了

思想的起源和喜爱的小说。

我们成长的悲伤的声音——

大提琴的微光。没有

长笛、短笛的痕迹。似乎那时候

几乎不可能把它的一丝一毫想象成

正在演化的或可锻造的。

悲伤的声音。轶事

其实是静物画。

那些小说的书页翻动着；
两只小狗轻轻打鼾。

来自厨房的
妈妈的声音，
迷迭香的味道，烤羊肉的味道。

世界，正处在
变动中，形成或消散中，
而我们并不以那种方式生活；
我们都过着我们的生活
正如仪式一般同步去实施
一个伟大原则，某种
感觉到但不理解的东西。
我们的评语像戏剧台词，
说来深信不疑，但并非出于选择。

一个原则，一个可怕的家族意志
它暗示对抗将变化、变异，
甚至拒绝提出问题——
既然世界开始

在我们周围转换，退潮，只是此刻

它不复存在。

它已经变成当下：没有形状，永不结束。

尊贵的画像

不是一只动物，而是两只。
不是一只盘子，在餐具前显得矮小，
而是一对盘子，一张桌布。
在市场上，那辆小车
既不空得富有意味，也不
满得令人绝望。在黑暗的戏院里，
两只手相互寻找着。

神龛的残片，像教堂里的神龛，
因烛光而模糊。

这是谁的想法？谁跪在那儿
如果不是那个不适应的孩子，
有污点的孩子——对于他
课间休息是个折磨。

后来，当其他人传递着笔记，

他专心于他的功课，

热切地将老师所称的

他的良好心智，用到作业上——

他在保护什么？又是他的心吗

完全地迷失

在那个笔记本的页边留白处？

你用什么填充空虚的一生？

色情形象，梦中的

自我，在另一个自我中

复制的自我，两者

叠在一起，虽然胳膊和腿

总被完美地遮蔽

像在一个瓮或浮雕里。

里面，实际生活的灰烬。

灰烬，失望——

而他全部要求的

是完成他的工作，是

被悬在时间里，像

冰柜里的一片橙子——

影子在黑暗的草上。风

突然安静。而时间，它如此不耐心，

它想继续；正安静地躺在那儿，像一只动物。

而情人们躺在那儿，拥抱着，

他们破碎的心再次修复，正如在生活中当然地

他们将永远不能持久，

在圆满的快乐、结合的时刻——

这对他们是栩栩如生吗？他已经见过他们。

他已经见过，以他的心地单纯，他明显的心不在焉，

没有被所有的扭动、哭喊

扰乱或是吓走——

而他已经理解；他已经恢复了它的全部，

诗人的崇高形象，做梦者的形象。

重聚

二十年后，才发现，他们相互喜欢，

尽管差别巨大（一个是精神科医生，一个是城市
  官员），

应该存在差别，那在意料中：

趣味、性情的差别，如今，还有财富

（一个爱文学，一个是完全实际但仍然

喜欢讽刺，饶有兴味；两个妻子热情而相互好奇）。

这个发现，也是对自我，对新才能的发现：

在这场谈话中，他们像他们读过的（从未一起）

伟大圣人、哲学家，或

有世俗成就和智慧的男人，说话

奔放，富有魅力和热切的坦诚——于此

青春可谓是枉有虚名。此外再加上

一种广阔的宽容和大度，一种远离任何轻蔑或谨
  慎的举止。

是一种快乐，如今说起他们的人生

成熟的途径，某些方面相同，其他方面

截然不同（虽然每个人都有悲伤的内核，无论

暗示还是披露）：说起如今的不同，

说到那时的一切，曾经，一段

悬而不落的恐惧，总是能说起一个话题。至此

主题升级并形成对话，唤起了他们内心的（因其

　　庄严）

善良和美好意愿，可说是两人以前都不曾

拥有过的。时间对他们是有益的，如今

他们能够一起从内部讨论这些，可以说

是以前不可能做到的。

镭

当夏天结束，妹妹要上学了。
她盼着长大，不再和狗狗
一起待在家里。不再
和妈妈一起过家家。她在长大，
她可以加入拼车。

没人想待家里。真实的生活
是这个世界：你发现了镭，
你跳天鹅皇后。没有什么

能解释妈妈。没有什么能解释
把镭丢到一边，就因为你最终认识到
整理床铺、养育像我和妹妹这样的孩子
更为有趣。

妹妹观察那些树；树叶

无法变得足够快。她一直问
是秋天吗？天够冷了吗？

但仍然是夏天。我躺在床上，
听着妹妹的呼吸。
我能看到月光里她的金发；
白色被单下，她小精灵般的身体。
写字桌上，我能看到我的新笔记本。
它像我的大脑：干净，空空。六个月后
那里写上什么，也将在我的头脑里。

我观察妹妹的脸，一侧埋在她的胖胖熊里。
她正被存储到我的头脑里，作为记忆，
像一本书里的事实。

我不想睡。这些天
我从不想睡。然后我不想醒来。我不想
树叶变化，黑夜早早到来。
我不想喜欢我的新衣服，我的笔记本。

我知道它们是什么：贿赂，让人分心。
像学校的热闹：真实是

时间正沿着一个方向移动，像一个波浪
举起整座房子，整个村庄。

我打开灯，让妹妹醒来。
我想要父母警醒；我想要他们
不再躺着。但没人醒来。我坐起来
就着夜灯读我的希腊神话。

夜晚寒冷，树叶飘落。
妹妹厌倦了学校，她怀念在家的时候。
但想回来已经太晚了，想停止已经太晚了。
夏天过去，夜晚黑暗。狗狗
穿着毛衣出门。

然后秋天过去，那一年过去。
我们在改变，我们在长大。但
这不是你决定去做的事情；
它是发生的事情，某种你无法
控制的事情。

时间流逝。时间正携着我们
越来越快地冲向实验室的门口，

然后冲过那扇门进入深渊，黑暗。

妈妈搅着汤。洋葱，

奇迹般地，变成了土豆的一部分。

生日

令人惊异，我能够回望
五十年。在那儿，凝望的尽头，
一个人形已全然可辨，
两手在膝上紧握着，两眼
凝视着未来，混合了
一个灵魂期待着毁灭时的恐惧和无助。

全然熟悉的，虽然还，当然，很年轻。
盲目地凝视前方，某个人凝视完全的黑暗时的那
　种表情。
思索着——这表示，我记得，心智尝试着
阻止变化。

熟悉的，可辨认的，但孤独更深，更沮丧。
按她的看法，她并不符合对孩子的
定义：对什么事都充满希望。

其他人这样看；所以，他们就是这样的人。
不断地和照相机
交朋友，他们中许多人实际上
正带着真正的信仰微笑——

我记得那个年龄。充斥着自我怀疑，自我厌恶，
同时又充满了
对社会公众和普通人的轻蔑；永远
放逐于孤独，感知能力的阴郁安慰，放逐于
一种完全被悲哀主导的未来，不需要巨大的意志
而是避开了它——

这是沉默的问题：
一个人无法测试自己的想法。
因为它们不是想法，它们是真实。

所有的捍卫，精神上的固执，坚持
摘下普通人的面具，揭示悲剧，
这些实际上是对世界的无知。

意味着那局部的，变换不定的，反复无常的——
被"绝对"剔除在外的一切。我坐在黑暗里，在

起居室里。

生日结束了。我在思索，自然地，关于时间。

我记得，几乎是在同一刻，我的心如何

要狂喜地跃起，又崩溃

在凄凉痛苦中。那跃起——我不曾计数的那一

　　半——

是快乐；是这个词语所意味的。

古代文本

多么幸运啊我的生活，我的每个祈祷
都被天使们听到了。

我祈求大地；我得到了泥土，这么多
污泥在脸上。

我祈求从磨难中解脱；我得到了磨难。
谁能说我的祈祷没有被听到？它们

被翻译，编辑——是否某些
重要的词语被遗漏或误解，一篇关键的

文章被删除，但仍然它们像古代的文本那样被考
    虑、研究。
也许它们是古代的文本，

以某个特殊时期的方言再创作而成。

正如我的生活，某种意义上，越来越沉浸于祈祷，

所以天使们的任务，我相信，是掌握这种语言，
这种他们还没有完全流畅或自信的语言。

如果我感到，在我的青春时期，被拒绝、放弃，
我突然间觉得，最终，我们，我们所有人，

被希望是老师，也许
聋子的老师，好心的帮手——他们善意的耐心

为一种持久的热情所维系。
我终于理解了！我们是助手和帮手，

我们的杰作奇怪地有用，像底漆。
那时生活将变得多么简单；多么清晰，在孩子般
　　的错误里，

终身的劳作：夜以继日，天使们
讨论着我的意思。夜以继日，我修改我的请求，

让每个句子更好更清楚，似乎一个人可能
永远地避开所有不当之处。它们变得多么完美——

无瑕，美丽，连续被误读。如果我是，在一种意
　　义上，
一个着迷的人，蹒跚地穿过时间，在另一种意义上

我是一个长翼的着迷的人，我被月光照亮的羽毛
是纸。我几乎不曾在男人和女人中间生活；

我只对天使讲话。多么幸运，我的日子，
多么来电而有意义，那些夜晚连续的沉默和晦暗。

来自一份杂志

一次，我有一个爱人，
两次，我有一个爱人，
轻易地，我爱了三次。
在间歇里
我的心修复了它自己，完美
如一只小虫。
我的梦也修复了它们自己。

后来，我意识到我正过着
一种完全白痴的生活。
白痴的，浪费的——
再后来，我和你
开始通信，发明一种
焕然一新的形式。

遥远距离之上的深度亲密！

济慈与范妮·布劳恩，但丁与贝雅特丽齐——

一个人不可能发明
一种扮演旧角色的
新形式。我寄给你的那些信保持着
无瑕疵的讽刺，冷漠
但直爽。同时，我在脑子里
写着不一样的信，
其中有些变成了诗。

那么多的真感觉！
那么多关于激情渴望的
热烈宣言！

我爱了一次，我爱了两次。
而突然，
那种形式坍塌了：我
无法保持无知。

多么悲伤：失去了你，失去了
把你作为一个真实的人，作为某个已经让我
深深依恋的人，也许

是我从来没有的兄弟，

来真正了解，或是随着时间流逝而回忆的

任何可能。

多么悲伤：一想到

在一无发现之前

死去。发觉

大多数时间里我们都是那么无知，

看事情

只从那一个视点，像狙击手。

而且有那么多事情，

关于我自己的，我从没有告诉你，

这些事情也许会影响你。

那张我从未寄出的照片，拍下了

我看起来简直是流光溢彩的一夜。

我想要你陷入爱情。但那支箭

一直射中镜子，又返回。

而那些信一直都在切分自己，

每一半都不是完全真实。

多么悲伤：你从未想象过
这些，虽然你总是回复
那么迅速，总是同样难以捉摸的信。

我爱了一次，我爱了两次，
甚至在我们的例子里
事情从没有越过这个底线：
它是曾尝试的一件有益的事。
我至今还保留着那些信件，当然。
有时候我会花去几年的精力
在花园里重读它们，
伴着一杯冰茶。

我感觉，有时，某物的一部分
非常巨大，极其深邃而横扫一切。

我爱了一次，我爱了两次，
轻易地，我爱了三次。

岛

窗帘分开。光
照进来。月光，然后是阳光。
变幻不定，不是因为时间流逝
而是因为每一时刻都有许多种表情。

白色桔梗花在豁口的花瓶里。
风的声音。水
拍浪的声音。而时间流逝，白帆
光亮耀眼，泊船轻轻晃动。

运动，但还没有导入时间中。
窗帘晃动或飘动；那个时刻
微光闪烁，一只手移动
向后，然后向前。沉寂。然后

一个词，名字。然后另一个词：

又一个，又一个。时间
被打捞上来，像寂静与变化
之间的一次脉搏。向晚。这些瞬息将逝的

正成为记忆；心灵在它四周闭合。房间
再次声明，作为领地。阳光，
然后月光。双眼模糊，满含泪水。
尔后月亮凋落，白帆送曲。

目的地

我们只有寥寥数日，但它们显得漫长，
光不停地变化。
寥寥数日，分散在几年，
十年的历程上。

而每次相遇都充溢一种精确感，
仿佛我们已经各自旅行了
某种遥远的距离；仿佛，
贯穿所有的漫游年月，
曾经有过一个目的地，毕竟。
不是一个地方，而是一个形体，一个声音。

寥寥数日。强烈
它从未被允许发展
成为宽容或迟钝的感情。

而许多年里我都相信这是一个伟大的奇迹；
在我的头脑里，我反复回到那些日子，
相信它们是我情爱生活的中心。

那些日子漫长，像如今的日子。
而那些相隔，分离，被颂扬，
弥漫着激情和喜悦，似乎，莫名地，
延长了那些日子，无法与它们分开。
所以寥寥数时能占去一生。

寥寥数时，一个既不展开也不缩小的世界，
能够，在任何点上，再次进入——

所以结束后很久，我还能毫无困难地返回它，
我还能几乎完全地生活在想象中。

阳台

那是像今夜的一夜，在夏末。

我们租了，我记得，一个带阳台的房间。
几个白天和夜晚？五个，或许——不会更多。

甚至我们没有抚摸时也在做爱。
我们在夏夜里站在我们的小阳台上。
远处什么地方，人类生活的声音。

我们很快就要被加冕为君王，
深受我们的臣民爱戴。就在我们下面，
收音机播放的声音，那些年我们不熟悉的一支咏
　叹调。

有人正死于爱情。有人被时间掠去了
仅有的幸福，如今孤独一人，

一无所有，美丽不再。

那些销魂的音符，关于无法忍受的悲伤，关于孤
　　独与恐惧，
那几乎不可能维持的缓缓上升的音符——
它们在黑暗的水上漂去
像一场迷醉。

这样一个小错误。许多年后，
那一夜，在那个房间里的几个小时，唯一留下的
　　东西。

紫叶山毛榉

为什么大地对天堂发怒？

如果有一个问题，是否就有一个答案？

在戴娜街，一棵紫叶山毛榉。

浓密，像我童年时候的那棵树，

但有一种我那时不情愿看到的暴力。

我那时是个孩子，像一根翘起的手指，

然后是一次黑暗大爆炸；

妈妈对我毫无办法。

有趣，是不是，

她用的语言。

那棵紫叶山毛榉耸立如一只动物。

挫折，愤怒，因爱被拒绝而引起的

极度受伤的骄傲——我记得

正从大地向天堂升起。我记得
我的父母，
一个严厉，一个无形。可怜的
云中的父亲，他工作
只在金里和银里。

研究妹妹

在美国这里，我们尊重
实在可见的东西。我们问
它有什么用？它带来什么结果？

我妹妹
放下叉子。她觉得，她说，
似乎她应该从悬崖跳下去。

已经犯下了一项罪
对一个人的灵魂

正如对那个小孩子——
她整天都在用些彩色积木
自娱自乐

所以她向上看

357

最后欢喜地
展示自己，
把自己还给父母

而他们说
你建造了什么？
而那时，因为她看起来
如此茫然，如此困惑，
他们重复了这个问题。

八月

妹妹把她的指甲染成海棠色，
一种用水果命名的颜色。
所有颜色都是根据食物来命名：
咖啡霜，橘汁奶冻。
我们坐在后院，等着我们的生活重续
被打断的上升的夏天：
胜利、成功，对这些
学校只是一种练习。

老师们微笑着俯视我们，一边系上蓝绶带。
在我们头脑里，我们微笑着俯视老师。

我们的生活藏在我们的头脑里。
它们还没有开始；我们两人都确信
我们已经知道它们何时开始。
当然不是这种生活。

我们坐在后院，注视着我们身体的变化：
先是亮紫色，然后棕黄。
我滴了婴儿油在两腿上，妹妹
在左手上擦了洗妆水，
试另一种颜色。

我们读书，听便携收音机。
明显这不是生活，这样随意坐在
彩色的草坪椅上。

没有什么配得上梦想。
妹妹一直在找一种她喜欢的颜色：
这是夏天，它们都起了霜。
海棠色，橙色，珍珠母。
她把左手举到眼睛前面，
左右移动。

为什么总是这样——
那些颜色在玻璃瓶里那么浓，
那么醒目，而在手上
几乎完全相同，

一层淡淡的银色。

妹妹摇着瓶子。橙色
一直沉到瓶底；也许
这就是问题。
她一遍遍摇晃，举起来对着光，
研究杂志上的文字。

世界是一个细节，一件小东西，并非
严丝合缝。或者像事后的想法，不知为何
仍然粗枝大叶。
真实的是那个想法：

妹妹涂上一层，把大拇指
放到瓶子旁边。
我们一直在想我们将会看到
差别变小，虽然实际上一直存在。
它越是顽固地存在，
我们越是强烈地相信。

海滨之夏

开始野营前，我们去了海边。

白日漫长，在太阳变危险之前。
妹妹趴着，读悬疑故事。
我坐在沙子里，望着水。

你可以用沙子盖住
身体中不喜欢的部分。
我盖住脚，让腿显得更长；
沙子爬上我的脚踝。

我俯视我的身体，离水远远的。
我成了杂志告诉我应该成为的样子：
像小马驹。我是静止的小马驹。

妹妹不耐烦这些调整。

当我告诉她盖住脚，她试了几次，
但厌烦了；她没有足够的意志
去维持一种欺骗。

我望着海水；我留意别的家庭。
婴儿到处都是：他们脑子里在上演什么？
我无法把自己想象成一个婴儿；
我无法描画我无思想的样子。

我也无法想象自己是个成年人。
他们都有糟糕的身体：松垮垮，油乎乎，完全
受制于作为男和女。

日子总是一成不变。
下雨的时候，我们待在家里。
太阳出来，我们跟着妈妈去海边。
妹妹趴着，读她的悬疑故事。
我两腿摆好坐着，模仿
我头脑里浮现的样子，我相信那是真实的自己。

因为这是真实的：我不动时我是完美的。

夏雨

我们被假定，我们所有人，
是一个圆，线上的每一点
分量或张力相等，与中心的距离
相等。但我看
并非如此。在我头脑里，父母
是那个圆；我和妹妹
陷落其中。

长岛。可怕的
大西洋风暴，夏雨
敲打着青瓦屋顶。我观察
那棵紫叶山毛榉，深色的叶子正变得
近似漆黑。它似乎是
安全的，安全如这房屋。

所以待在家里是理智的。

至少我们是这样：我们无法改变我们是谁。
我们甚至无法改变最小的事实：
我们的长发在中间分开，
用两只贝雷帽压紧。我们把妈妈的那些
不合成年人生活的想法
变成了现实。

关于童年的想法：怎么看，怎么行事。
关于精神的想法：什么天赋要承认，要发展。
关于性格的想法：怎么被驱使，怎么占上风，
怎么用真实的伟大方式赢得胜利
而似乎没抬一根手指头。

所有这些都持续得太久：
童年，夏天。但我们是安全的；
我们生活在一个封闭的形式里。

钢琴课。诗歌，绘画。夏雨
锤打着这个圆。而心智
在固定的条件下发展着
些许悲剧的臆断：我们觉得安全，
意味着我们把世界看作危险的。

我们将要获胜或征服，意味着
我们把尊敬看作爱。

妹妹和我盯着外面
夏季的风狂雨暴。
对我们很明显：不可能两个人
同时获胜。妹妹
隔着花垫子伸出手来抓着我的手。[1]

但我们两人都没看到，
这其中任何一件事的代价。

但她被吓着了，她信任我。

---

[1] 这是一个表示信任和亲热的动作。——作者解释

文明

我们很晚才认识到：

对美的感知，对知识的欲求。

而在伟大的头脑中，二者经常合而为一。

要感知，要说话，甚至在本身残酷的问题上——

要直白地说，即使在事实本身令人痛苦或可怕的

　　时候——

似乎要在我们中间引入某种新的行动，

与人类的困扰，人类的激情有关。

然而有某种东西，在这行动里，正在被承认。

这冒犯了我们体内残留的动物的部分：

是奴役在说话，在分配权力

给我们自身之外的力量。

所以那些说话的人被流放，被压制，

在街头被蔑视。

但事实持续。它们在我们中间，
孤立而没有模式；它们在我们中间，
塑造着我们——

黑暗。零零星星些许的火在门里，
风在建筑物的角落四处抽打着——

那被压制的、孕育了这些形象的人在哪里？
在昏暗的光亮里，最终被召唤，复活。
当那受蔑视的被赞扬，他们已带来了
这些真实让我们注目，他们已感到他们的存在，
清晰地感知他们，在黑暗和惊骇中，
已安排他们交流
关于他们的实质和数量的某种构想——

其中的事实本身突然间变得
安详，荣耀。他们在我们中间，
不是单独地，如在混乱中，而是被
织入关系或进入秩序，仿佛世间的生命
能够，在这一形式里，被深深地领会
虽然永远无法被掌握。

十年

什么欢乐在触摸
仪式的安慰？一片空虚

出现在生命里。
一次震惊如此深，如此可怕，
它的力量
夷平了被感知的世界。你曾是

洞穴边的一只野兽，仅仅
醒了又睡。后来
时刻转换；那只眼睛

被某物吸引。
春天：那不曾预见的
淹没了深渊。

而生命

再次充满。最终

为万物发现了

一席之地。

空杯

我索取的多；我收到的多。
我索取的多；我收到的少，我收到的
聊胜于无。

而其间？几把雨伞在门内张开。
一双鞋子错误地在餐桌上。

噢错，错——它是我的本性。我是
心肠硬，冷淡。我是
自私，顽固到了暴君的地步。

但我一直是那个人，甚至年幼时。
矮小，深色头发，让其他孩子害怕。
我从未改变。在玻璃杯里，抽象的
命运之潮翻涌
一夜间，从高到低。

它是海吗？也许，在回应

太空的力？要安全，

我祈祷。我设法做一个更好的人。

很快，对我来说，那始为恐怖

后为道德自恋的，

其实本来能成为

人的实实在在的成长。也许

这是我的朋友们想说的，拉着我的手，

告诉我说他们理解

我受到的谩骂、不可信的胡说八道，

暗示（我曾这么想）：为那么点儿事

而回应那么多，我是有点儿病态。

而他们想说我好（紧紧抓着我的手）——

是一个好朋友，好人，而不是伤感的人。

我不是感伤！我是明显夸张，

像一个伟大的王后或圣人。

好吧，这一切导致了兴致盎然的猜测。

而它让我想起，至关重要的是相信

努力，相信出自简单尝试的某种善良，

完全未被引发劝说或引诱冲动的堕落所玷污的

一种善良——

没有这些，我们是什么？
在黑暗的宇宙里旋转着，
独自，害怕，无力影响命运——

我们真正拥有什么？
悲伤的梯子与鞋子戏法，
食盐戏法，动机不纯的想法
试图塑造性格。
我们拥有什么能平息那些巨大的力？

而我最终认为，就是这个问题
摧毁了阿伽门农[1]，在那海滩上，
希腊船只整装待发，大海
在平静的港口以外，不可见，未来
致命而无常：他是一个傻瓜，以为
胜券在握。他本应该说
我一无所有，我任你摆布。

---

[1] 阿伽门农（Agamemnon）：希腊迈锡尼国王，特洛伊战争中希腊远征军
统帅，后被妻子杀害。

榅桲[1] 树

最终，我们只有拿天气当一个话题。
幸亏，我们生活在一个分季节的世界——
我们仍然觉得，进入了丰富多样：
黑暗，兴奋，各种等待。

我估计，在真正意义上，我们的交流
还不能被称作谈话，因为
它被一致、重复所主导。

但如果猜测我们彼此缺乏感觉
或对世界的深切回应，
那也是错的，正如相信我们的生活
狭窄或空虚，是错的一样。

---

[1] 榅桲（quince）：蔷薇科，又名木梨，原产于伊朗和土耳其，果实香味怡人。

我们拥有巨大的财富。

我们拥有，事实上，我们能看到的一切。

而我们无法看到遥远距离

或细枝末节，也是事实。

我们能分辨的东西，我们都紧紧抓住

带着年轻人无法想象的一种饥渴，

似乎所有经历都被导入了

这些极少的感知。

导入而没有记忆。

因为我们已经遗失了过去，作为所指，

遗失了，作为意象，作为叙事。它包含了什么？

有爱吗？曾经有过

持久的劳作吗？或者名声，曾经有过

类似的东西吗？

最终，我们不需要问。因为

我们感觉到过去；它是，以某种方式，

在这些事物里，前草坪和后草坪，

充溢着它们，给这棵小椴梓树

一种分量和意义，几乎超过了永恒。

完全迷失而又奇怪地活着，我们人类存在的整
  体——
那将是错的：如果你认为
因为我们从未离开过这院子
所以我们在这儿感到的，在某种意义上是缩小的
  或局部的。
在它的恢宏绚丽中，世界
最终呈现。

而当我们被迫讲话，我们讨论或提及的
一直是这个。
天气。椴桲树。
你，以你的纯真，对这世界了解什么？

旅行者

在树梢上是我想要的生活。
幸运地，我已经看了书：
我知道我在被测试。

我知道什么都不会发生——
不用爬那么高，不用摇落
那个果实。三种结果必居其一：
那个果实不是你所想象的，
或者它是，但无法让人满足。
或者它在下落时摔碎
而成为一件破碎之物永远折磨你。

但我拒绝
被果实战胜。我站在树下，
等待我的心智拯救我。
我站立，在果实腐烂很久以后。

而许多年后，一个旅人经过
我站立的地方，亲切地问候我。
像问候一位兄弟。我问为什么，
为什么他对我这么熟悉
而我从没有见过他？

他说道："因为我像你一样，
所以我认出了你。我把所有的经历
都当成一种精神或智力的尝试
借此来展示或证明我优越于
我的前辈。我选择了
生活在假设中；渴望让我坚持。

事实上，我最需要的是渴望，看起来
你已在静止中获得了它，
而我发现它是在变化中，在离别中。"

植物园

我们有年龄的问题，希望流连的问题。

甚至不再需要做一次贡献。

仅仅希望流连：在，在这儿。

盯着许多东西，但没有真正的贪婪。

什么都不去翻阅、购买。

但有我们中的许多人；我们从容进行。我们

把我们自己的孩子，和朋友们的孩子挤了出来。

　　我们造成了

巨大的伤害，并非出于恶意。

我们继续计划；修补破碎的东西。

修理，改进。我们旅行，修建花园。

我们继续无耻地种植树木和多年生植物。

我们对世界索取那么少。我们理解

建议、喋喋不休就是冒犯。我们检查自己：
我们正确，我们沉默。
但我们无法治愈我们的欲望，无法完全治愈。
我们的双手，合拢，散发出它的气味。

我们怎么造成了这么多的伤害？仅仅坐着看着，
随意走着，在晴朗日子里，公园和植物园里，
或是坐在公共图书馆前的长凳上，
从纸袋里拿东西喂鸽子。

我们正确，但欲望追逐我们。
像一种巨大的压迫，一个神。而年轻人
被冒犯；他们的心
在反抗中变冷。我们

对世界索取那么少；些微物品
对我们已是大财富。只是再嗅一下植物园里
早开的玫瑰：我们索取
那么少，我们不想占有什么。而年轻人
仍然枯萎下去。

或者他们变得像植物园里的石头：似乎

我们的继续存在，那么多年我们索取那么少，意

味着

我们索取了一切。

欲望之梦

那些夜晚中的一夜之后，一天：
心智尽职，清醒，穿着它的拖鞋，
而精神焦躁不安，嘟哝着
我倒宁愿，我倒宁愿——

它来自哪里，
如此突然，猛烈，
一只意想不到的兽？谁
是那个神秘形象？
你年轻得难以置信，我告诉他。

白日安静，美丽，期待着关注。
夜里让人心烦而孤独——
而我无法返回，
甚至音讯不通。

玫瑰盛开，钓钟柳，那只松鼠
此刻全神贯注。
而突然，我不是活在这儿，我活在一个神秘里。

他行动迟缓，一种古怪的笨拙
变成了诱人的优雅。

这是我想的又不是我想的：
这世界不是我的世界，这人类之身
成为一个绝境，障碍。

笨重，穿着牛仔裤，然后突然地
做着最令人惊奇的事情
仿佛它们全然是他的念头——

但在永恒结束之后：
咖啡，黑面包，那持久的仪式
此刻在上演，多么遥远——

人类之身是不可抗拒的冲动，一块磁铁，
那梦本身固执地
依恋着，精神

无助于让它离开——

仍然不值得
失去这世界。

恩典

那些年里，我们被教导，
永远不要说起好运气。
不说，不感觉——
这是孩子有关任何想象的
最小一步。

但仍然制造了一个例外
为信仰的语言；
我们被培训了这种语言的初步知识
作为预防。

不要在这世界大模大样地说话
而是言之以敬，卑微地、私下地——

而如果一个人缺乏信仰？
如果一个人只是相信运气，甚至在童年——

他们使用如此强力的词语，我们的老师！

丢脸，惩罚：我们中许多人

宁愿保持缄默，甚至在神的面前。

我们的，是针对残酷的世事变迁

在悲恸中提高的嗓音。

我们的，是黑暗的图书馆，关于痛苦的

论著。在黑暗中，我们认出彼此；

在彼此的凝视中，我们看到了

从未在言语中展示的经历。

那不可思议的，那崇高的，那不应得的；

宽慰仅仅是早晨能再次醒来——

只是现在，随着老年即将开始，

我们才敢讲起这类事情，或者说承认，兴致勃勃地，

甚至那些最小的欢乐。它们的消失

日渐临近，无论如何：我们的

是这种知识作为礼物所进入的生活。

寓言

天气转暖，积雪融化。
积雪融化，冒出了
早春的花：
滨紫草，雪光花。大地
错误地变蓝。

紧迫，有如此多的紧迫事——

要变化，要躲避过去。

天气寒冷，是冬天。
我为生活担惊受怕——

然后是春天，大地
变成令人惊讶的蓝。

天气转暖，积雪融化——
春天取代了它。
然后是夏天。时间停止
因为我们停止了等待。

夏天持续。它持续
因为我们快乐。

天气转暖，像
往昔循环回来
打算变得温柔，像
永续的一种形式

然后梦结束。永续开始。

幸福的缪斯

窗户紧闭，太阳初升。
几声鸟鸣。
花园里薄雾轻笼。
巨大希望的不安全感
突然消失了。
而心依然警醒。

而一千个小小的希望在涌动，
不是新的，但新近才意识到。
思念，与朋友共餐。
以及理清某些
成年人的任务。

房屋整洁，寂静。
垃圾还不需要带出门。

这是一个王国，不是想象力的行为：
而依然很早，
钓钟柳的白色花瓣张开。

或许，我们终于够辛酸地
偿还完毕？
那种牺牲将不再需要，
那份焦虑和恐惧已被认定为足够？

一只松鼠正沿着电话线奔跑，
一片面包皮在嘴里。

而黑暗被季节延迟。
所以它看起来是
一件大礼物的一部分，
再不用害怕。

白日展开，但非常缓慢，一种孤独
不用害怕，变化
微小，难以觉察——

钓钟柳张开。

有可能

看到它的整个过程。

成熟的桃子

1

有一个时期
只有确定性才能给我
快乐。请想象——
确定性，一件死物。

2

然后是这世界，
这实验。
那下流的嘴
伴着爱而受饿——
它像爱：

突然的、艰难的
终点的确定性——

3

在思维的中心，
那坚硬的凹坑，
结论。似乎
水果自身
从未存在过，只有
终点，这个点
在期待和怀旧
之间的中途——

4

如此多的畏惧。
如此多的关于物质世界的恐怖。

心智，狂乱地

守护着身体，隔开了

转瞬即逝之物，

身体正竭力抵制着它——

5

一只桃子在厨房的案桌上。

一个复制品。它是大地，

是同一种

正渐渐消失的甜

围绕着石头的一端，

像大地

触手可及——

6

一个幸福的

机会：泥土

我们不能占有

只能经历——而此刻

感觉：心智

被果实缄默——

7

它们不

和解。身体

在这儿，心智

隔开，不仅仅

是一个看守：

它有独自的快乐。

它是夜空，

最炽烈的星星

是它无瑕的特征——

8

它能存活吗？是否
有光能存活过结束，
让心智的魄力在其中
持续活着：思想
在房间里四处乱窜，
在那碗水果上方——

9

五十年。夜空
布满了流星。
光，音乐
来自远方——我必定
几乎离去。我必定
是石头，既然大地
围绕着我——

10

曾

有一只桃子在柳条篮里。

有一碗水果。

五十年。如此漫长的行程

从门到桌子。

未上漆的门

终于，人到中年，
我被诱惑重返童年。

房屋是老样子，但
门不一样了。
不再是红色——未上漆的木门。
树是老样子：橡树，紫叶榉树。
但是人——以前的所有住户——
不见了：不知所踪的、死去的、搬走的。
街道对面的孩子
都成了老人。

太阳是老样子，草坪
夏天时被烤成褐色。
但如今到处都是陌生人。

而在某个方面它恰恰是对的，

完全像我记得的：屋子，街道，

兴盛的村庄——

不是被再次认领或进入

而是认可

寂静和距离，

地方的、时间的距离，

梦与想象力令人困惑的精确——

我记得童年时想去别处的悠长愿望。

这是那房屋；这必定是

我头脑里曾经的童年。

有丝分裂

实际上没有人记得他们
没分开的时候。无论谁说他记得——
那人都是在撒谎。

没有人记得。而莫名地
每个人都知道：

开始的时候，他们必须一样直率，
专注于一条径直的路线。
最终，只有身体继续
不可阻挡地向前移动，正如它不得不，
一直活着。

但在某个点上，心智流连不去。
它想要更多时间在海边，更多时间在旷野
采摘野花。它想要

更多夜晚睡在它自己的床上；它想要
它自己的夜灯，它最爱的饮料。
以及更多早晨——也许
它最想要这些。更多
最初的光，开花的钓钟柳，羽衣草
仍然覆盖着它的夜珍珠，夜雨
仍然依恋着它。

然后，更激烈地，它想要返回。
它仅仅希望重复整个旅程，
像欢欣鼓舞的乐队指挥，只觉得
小提琴本来还可以更柔和，更凄切动人。

而经过这一切，那身体
继续像一支箭的路线
正如它不得不，活着。

而如果那表示到达终点
（心智像一个箭镞被埋葬），它有什么选择，
什么梦想，除了未来之梦？

无限的世界！远景清晰，云朵高悬。

水碧蓝，海生植物在珊瑚礁中
柔曲而叹息，冰冷的美人鱼
突然成了天使，或像天使。而音乐
正在辽阔的海上升起——

恰如那心智的梦。
同样的海，同样微光闪亮的旷野。
那盘水果，那完全相同的
小提琴（在过去和未来），只是
如今更柔和，终于
足够地悲伤。

爱洛斯

我已经把椅子拉到旅馆窗前，看雨。

宛如在梦中或恍惚中——
在爱中，但仍然
我一无所求。

似乎没必要再接触你，见到你。
我只想要这些：
房间，椅子，雨飘落的声音，
许多个小时，在春夜的温暖中。

我不再需要别的；我是全然地满足。
我的心已变小；它只要一丁点儿填充自己。
我看着雨水飘泼而下，在变得黑暗的城市之上——

你不再被牵挂；我能放你

过你需要过的生活。

黎明，雨渐渐稀疏。我做些
人们在晨光里做的事，我宣判自己无罪，
但我走动像一个梦游人。

这已足够，这不再与你有关。
一座陌生城市里的一些日子。
一次谈话，一只手的触摸。
再后来，我摘下了结婚戒指。

那是我想要的：无牵无挂。

计策

他们隔得远远地坐着

有意地，去体验，日常的，

隔着很远距离而彼此相望的那种

甜蜜。他们本能地

懂得，爱欲的激情

因距离而蓬勃，无论

实际的（一个是已婚的，一个

不再爱别人），还是

虚假的，欺骗的，一个计策

模仿着激情

对社会习俗的臣服，

但只是个计策，所以它展示的

与其说是习俗的力量，不如说是

爱洛斯摧毁

客观现实的力量。世界，时间，距离——

在枯萎，像干涸的田野

在凝视的火焰面前——

前所未有。从未和其他人。

而在那眼睛，那手以后。

被体验，作为荣耀，作为献祭——

甜蜜。而这么多年后，

完全无法想象。

前所未有。从未和其他人。

然后整个事情

恰与另外某个人重复。

直到最后才明白

唯一不变的

是距离，这需求的奴仆。

它被用来维持

在我们内心燃起的任何火焰。

那眼睛，那手——并没有
我们相信的重要。最终
仅凭距离自身，已经足够。

时间

总是太多，然后又太少。
童年：病中。
在我的床边上有一只小铃铛——
铃铛的另一边，妈妈。

疾病，灰雨。小狗始终在睡觉。它们睡在床上，
在床头，我觉得对于童年
它们很明白：最好一直懵懵懂懂。

雨在窗户上形成灰色长条。
我拿着书坐着，小铃铛放在旁边。
没听到一点儿声音，我让自己模仿一个声音。
没看到精神的任何标志，我执意
生活在精神之中。

雨淅淅沥沥又稀稀疏疏。

一月又一月，在一日之内。
事物成了梦，梦成了事物。

后来我好了；铃铛回到橱柜里。
雨停了。小狗站在门口，
喘着气到门外去。

我好了，后来我长大成人。
而时间继续——就像那场雨，
那么多，那么多，仿佛一种无法移走的重负。

我是个孩子，半睡半醒。
我病了；我被人保护。
我活在精神的世界之中，
灰雨的世界，
失去的世界，回忆的世界。

然后，突然，太阳闪耀。
而时间继续，甚至在一无所剩的时候。
那感受的成了记忆，
那记忆，成了感受。

自传

我生来小心翼翼，在金牛座的标志下。

我在一个岛上长大，茁壮地，

在二十世纪的下半叶；

大屠杀的阴影

几乎没有触及我。

我有一套爱的哲学，宗教的

哲学，都是基于

早年在家里的经验。

而如果我写，我只用寥寥数语，

因为时间对我总是显得短暂

仿佛任一时刻它都可能

被剥夺。

而我的故事，不管如何，并不奇特，

虽然，像其他每个人，我有一个故事，
一种观点。

我需要的是寥寥数语：
养育，承受，攻击。

圣女贞德

七岁的时候，我有一个幻象；
我相信我将要死去。我将要死去
在十岁，死于儿麻。我看见了我的死亡：
这是一个幻象，一个顿悟——
这是贞德经历过的，为了挽救法兰西。

我极度悲伤。欺骗了
世界，欺骗了
整个童年，和我内心的伟大梦想——
那梦想永远不会显露。

没有人知道这一切。
后来，我还活着。

我一直活着
当我应该已经被烧死的时候：

我是贞德，我是拉撒路[1]。

童年的、青春的

独白。

我是拉撒路，世界又被赐予了我。

许多夜里我躺在床上，等着被找到。

那些声音回来了，但世界

拒绝撤退。

我清醒地躺着，倾听。

五十年前，在我儿时。

当然还有现在。

那是什么，正在对我说话？对死亡的

恐惧，对丧失的恐惧；

害怕疾病穿着新娘的白裙——

七岁的时候，我相信我将要死去：

只是日期是错误的。我听到

一个黑暗的预示

在我自己的体内升起。

---

[1] 拉撒路（Lazarus）：《圣经》人物，被耶稣从坟墓中唤醒复活，见《新约·约翰福音》第11章。

我给了你机会。

我倾听你的诉说，我信任你。

我再不会让你拥有我。

晨曲

有一个夏天
多少次一再返回
有一朵花张开
现出许多种形态

香蜂草的腥红，晚玫瑰的淡金色

有一份爱
有一份爱，有许多夜晚

山梅花的气息
茉莉和百合的长廊
风还在吹

有许多个冬天但我闭上了眼睛
白色冷空气长着淡淡的翅膀

有一座花园，积雪正在融化

蔚蓝或洁白；我无法分辨

爱与孤独——

有一份爱；他有许多声音

有一个黎明；曾经

我们一起凝望

我在这里

我在这里

有一个夏天一次次返回

有一个黎明

我在凝望中变老

纱窗门廊

星星是愚蠢的，它们不值得等待。

月亮被遮掩，支离破碎。

黄昏像淤泥，覆盖山丘。

人类生活的伟大戏剧在哪儿都不明显——

但你并不因此走进自然。

一个人生命中痛苦的悲惨故事，

爱的狂野胜利：它们并不属于

这个夏夜，山丘和星星的全景图。

我们坐在台阶上，装了纱窗的门廊里，

似乎我们期待收集，甚至此刻，

新的消息或同情。星星

闪烁，略高出风景，山丘

仍然弥漫着微弱的回光返照。

黑暗。微亮的大地。我们盯着外面，渴求知识，而我们感到，取而代之的，一种替代品：
显得温和的漠不关心。

自然界的安慰。永恒世界的
全景。星星
是愚蠢的，但莫名地让人舒畅。月亮
把自己呈现为一条曲线。
而我们继续把我们需要的品质
投射到闪亮的山丘上：坚毅——
精神前进的潜力。

对时间，对变化的免疫力。感觉
完美的安全，意识到被保护
隔开了我们所爱的——

而我们强烈的需要被夜吸收
又化作食粮返回。

夏夜

按部就班地，出于长期的习惯，我的心继续跳动。
许多夜里我醒来，听到它，在空调柔和的声音之上。
正如我曾在爱人的心上听到它，或
在不同的心上，由于曾有过几次。
而当它跳动，它继续鼓起可笑的情感。

那么多激情的信从未寄出！
那么多紧迫的旅行在夏夜里被构想，
惊讶造访那些几乎完全陌生的男人。
从未买的票，从未盖戳的信。
而骄傲保留了。而生活，在某种意义上，从未完
　　整地活过。
而艺术总在某种日渐重复的危险中。

为什么不？为什么不？为什么我的诗不该模仿我
　　的生活？

它的教训不是颂扬而是典范，它的意义
不是在姿态中而在惰性中，遐想中。

欲望，孤独，开花的杏树中的风——
当然这些是伟大的，无法耗尽的主题，
我的前辈们把自己当作它们的学徒。
我听到它们在我自己心里的应和，伪装成传统。

夏夜的安慰，日常生活的安慰，
人类存在的至上快乐和悲苦，
梦想的以及活过的——
什么能比这更珍贵，既然死亡近在咫尺？

寓言

那时我向下看，看到

我正要进入的世界，那将是我的家。

我转向我的同伴，问道：我们在哪儿？

他答道：内华达。

我又说道：但那亮光不会带给我们平静。

文景

社 科 新 知　文 艺 新 潮

Horizon

月光的合金

[美]露易丝·格丽克 著

柳向阳 译

出 品 人：姚映然
策　　 划：管鸥鹏
责任编辑：陈欢欢
营销编辑：杨 朗 李 琬
封扉设计：周伟伟

出　　 品：北京世纪文景文化传播有限责任公司
　　　　　（北京朝阳区东土城路8号林达大厦A座4A　100013）
出版发行：上海人民出版社
印　　 刷：山东临沂新华印刷物流集团有限责任公司
制　　 版：北京大观世纪文化传媒有限公司

开 本：850mm×1168mm　1/32
印 张：13.625　　字 数：199,000　　插页：2
2016年4月第1版　　2020年10月第4次印刷
定 价：69.00元
ISBN：978-7-208-13399-0/I·1453

图书在版编目（CIP）数据

月光的合金 /（美）格丽克（Glück，L.）著；柳向
阳译. 一上海：上海人民出版社，2015
　　书名原文：The Wild Iris
　　ISBN 978-7-208-13399-0

　　I.① 月… II.① 格…②柳… III.① 诗集－美国－
现代 IV.① I712.25

中国版本图书馆CIP数据核字（2015）第264179号

本书如有印装错误，请致电本社更换 010-52187586